ISTITUTO
italiano
DI CULTURA
LONDRA

Note e appunti
Conversazioni a Belgrave Square

a cura di Marco Delogu

Quodlibet

Prefazione

Pasquale Q. Terracciano
Ambasciatore d'Italia nel Regno Unito

A Belgrave Square, il 2017 è stato un anno di anteprime, mostre ed eventi unici. Sotto la guida del direttore Marco Delogu, l'Istituto Italiano di Cultura ha ospitato una stagione ricca di successi, di cui questo volume intende ripercorrere le tappe salienti.

In occasione dell'80° anniversario della morte di Antonio Gramsci, l'Istituto Italiano di Cultura ha esposto per la prima volta fuori dall'Italia i *33 Quaderni del Carcere*, una delle opere più importanti del pensiero politico, filosofico e letterario italiano e internazionale, registrando solo all'apertura più di 1000 ingressi. Altrettanto eccezionale la mostra *Sette Opere per la Misericordia*, progetto sperimentale che ha esposto il lavoro di 33 artisti internazionali, poi generosamente donato al museo Pio Monte della Misericordia. Infine, la serie *Legami*, dittico di mostre sull'opera Pietro Consagra, ha messo in dialogo alcuni dei pezzi più famosi dello scultore italiano con quelli di artisti internazionali contemporanei.

Il già produttivo dialogo tra l'Istituto Italiano di Cultura e le principali istituzioni culturali del Regno Unito è stato più che consolidato durante il 2017, che ha visto la realizzazione di collaborazioni eccezionali. Vorrei ricordare il sodalizio con la Tate Modern in occasione della mostra su Modigliani e i suoi eventi collaterali, quella con il Sadler's Wells Theatre, tempio della danza contemporanea, in occasione di *Wild*, spettacolo ideato dal coreografo e curatore italiano Gianluca Vincentini, o quella con la Whitechapel Gallery, in occasione della proiezione del film *Together* di Lorenza Mazzetti.

Accanto alle mostre e alle grandi collaborazioni, l'Istituto Italiano di Cultura ha condotto in sede un'intensa attività strutturata in un'agenda ricca di incontri, conversazioni e presentazioni, che hanno messo a contatto artisti, scrittori ed esperti di fama internazionale con un pubblico sempre più giovane ed internazionale. Ricordiamo a questo proposito gli incontri con l'autore del best-seller *Sette Brevi Lezioni di Fisica*, Carlo Rovelli, e l'indimenticabile conferenza sul rapporto tra risorse energetiche e fabbisogni futuri, *Earth, Mankind and Energy*, tenuta dal premio Nobel Carlo Rubbia.

Tante le serie di lezioni organizzate dall'Istituto attorno ad argomenti cari alla cultura del nostro Paese e pensate per chi, attraverso veri e propri cicli di conferenze, volesse conoscere o approfondire specifiche tematiche. Oltre ai tradizionali corsi di lingua italiana, sempre seguitissimi, tra le serie più fortunate si ricordano *Grafica Italiana*, seminario sul design grafico e la comunicazione visiva in Italia nel XX secolo, in collaborazione con Alliance Graphique Internationale e Associazione Italiana Design della Comunicazione Visiva, e *La Giovane Scuola: Protagonists & Antagonists*, cinque episodi musicali sulla complessità della scena dell'Opera Italiana a cavallo tra Ottocento e Novecento.

Durante lo scorso anno, l'Istituto Italiano di Cultura ha saputo alternare la migliore tradizione artistica del nostro Paese a nuove voci, discipline umanistiche e materie scientifiche, lezioni frontali a workshops, dimostrando come nella cultura non esistano confini. In un mondo accademico e artistico sempre più multidisciplinare, dove ambiti anche apparentemente molto distanti si mescolano creando fusioni e legami sorprendenti, il lavoro trasversale dell'Istituto Italiano di Cultura, che unisce, contamina e sperimenta, può essere spunto di riflessione per interpretare, in chiave più ampia, le complesse sfide globali degli ultimi anni.

Vorrei concludere proprio con le parole che Gramsci scrisse nei *33 Quaderni dal Carcere* esposti dall'Istituto: «Cultura non è possedere un magazzino ben fornito di notizie, ma è la capacità che la nostra mente ha di comprendere la vita, il posto che vi teniamo, i nostri rapporti con gli altri uomini. Ha cultura chi ha coscienza di sé e del tutto, chi sente la relazione con tutti gli altri esseri». Perseguendo questi valori, il lavoro dell'Istituto Italiano di Cultura è un contributo insostituibile nella costruzione di quei ponti culturali che, da sempre, sostengono la già solida amicizia italo britannica.

ANTONIO GRAMSCI, QUADERNO 1 (XVI), 1929-1930
CM 15X20,6 / PAGINE UTILIZZATE 201
PRIMO QUADERNO (8 FEBBRAIO 1929)

Note e appunti
Marco Delogu

"Note e appunti", così apre il primo quaderno dal carcere di Antonio Gramsci che da il titolo a questo volume, il racconto di un anno dove molti scrittori, artisti, storici, studiosi e un pubblico sempre più ampio e differenziato ha attraversato il portone del 39 di Belgrave Square per condividere i loro pensieri e lavori. Per il direttore di un Istituto di Cultura Italiano l'aspetto più interessante è quello di trovare costanti fili che uniscano i vari argomenti trattati, evitando di isolare le singole discipline e cercando sempre più contaminazioni tra i diversi *scholars* (studiosi/esperti) che portino anche il pubblico a non privilegiare singoli argomenti e a favorire molteplici ascolti. Tutto il mio lavoro è incentrato nell'individuare un comune sentire che attraversi i limiti delle singole discipline, evitando il proliferarsi di piccole famiglie autoriferite; mi piace molto quando uno scrittore si interessa alla fotografia, un filosofo all'architettura, un artista alla scienza e mi piace quando tutti approfondiscono e non si limitano all'ascolto dei soliti nomi mainstream.

Il passo seguente è la verifica costante del territorio. Sin dai primi mesi del mio incarico ho iniziato a "sentire" cosa succedeva intorno, a far parte di comunità ben strutturate portando il contributo del mondo culturale italiano; mi riferisco a musei, festival, fiere di libri o di arte, attività di ricerca accademica e a tutto il calendario che scandisce il passare dell'anno.

La grande novità del 2017 è stata quella di iniziare dei cicli (di Storia, Letteratura, Design e Teatro) aperti al mondo UK coinvolgendo relatori internazionali. Certo, tutte le serie son state principalmente incentrate su un dialogo italo-britannico ma, in particolare nella serie di Storia, abbiamo ospitato studiosi di tutto il mondo. Tutte le serie hanno avuto successo e hanno portato all'estensione del pubblico, alla sua interazione e, nel caso

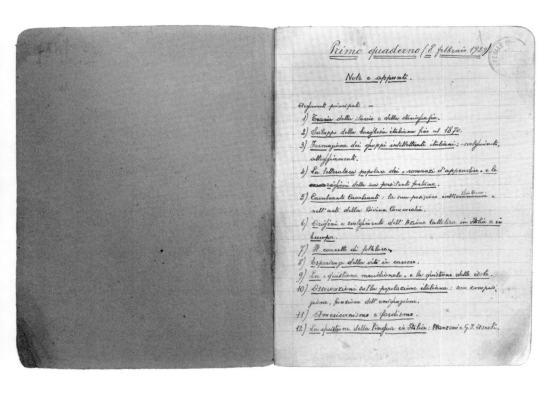

Primo quaderno (8 febbraio 1929)

Note e appunti.

Argomenti principali : —

1) Teoria della storia e della storiografia.

2) Sviluppo della borghesia italiana fino al 1870.

3) Formazione dei gruppi intellettuali italiani: svolgimento, atteggiamenti.

4) La letteratura popolare dei romanzi d'appendice e le ragioni della sua persistente fortuna.

5) Cavalcante Cavalcanti: la sua posizione nella struttura e nell'arte della Divina Commedia.

6) Origini e svolgimento dell'Azione Cattolica in Italia e in Europa.

7) Il concetto di folklore.

8) Esperienze della vita in carcere.

9) La quistione meridionale e la quistione delle isole.

10) Osservazioni sulla popolazione italiana: sua composizione, funzione dell'emigrazione.

11) Americanismo e fordismo.

12) La quistione della lingua in Italia: Manzoni e G. I. Ascoli.

della Letteratura e successivamente del Teatro, al bisogno di costruire di più, di lasciare le mura di Belgrave Square e cercare spazi per momenti forti come il Festival FILL al Coronet Theatre.

Il prestigio dell'Istituto è sempre più consolidato, ciò significa che è molto più facile portare il meglio della cultura italiana nel Regno Unito e senza grandi spese: penso che per un'artista o uno studioso sia molto più interessante conoscere e dialogare con i migliori interlocutori (editori, direttori di musei, galleristi, mondo accademico, stampa, mercato) piuttosto che ricevere un medio compenso e parlare in una sala semi vuota e un po' annoiata. I risultati nell'editoria son sempre migliori, sicuramente la mostra di Modigliani ha aiutato il Novecento Italiano, che con artisti come Alighiero Boetti, Giorgio De Chirico, Lucio Fontana e molti altri gode di un grande successo.

Nel 2017 abbiamo fatto quasi trecento eventi, tra lecture, mostre, seminari e presentazioni di libri. Parlerò solo di alcuni, iniziando dal film *Together* di Lorenza Mazzetti presentato il 20 gennaio con grande emozione nel sentire Lorenza raccontare la storia dell'eccidio della sua famiglia, gli Einstein, da parte dei nazisti in ritirata in Toscana, e il suo arrivo a Londra, la Slade School, il girare il film nell'East London con due amici, trovare rocambolescamente un produttore, dopo avergli buttato una tazza di tè bollente sulla gamba e aver scoperto che era di legno ("Quella vera l'ho lasciata a Monte Cassino!", le disse) e alla fine vincere un premio al festival di Cannes del '56 e passare alla storia come il primo film del movimento Free Cinema. Lorenza Mazzetti è una donna molto interessante anche nei suoi libri e nei suoi dipinti, ma ancora di più in pubblico nelle sue conversazioni. Un perfetto esempio di cultura italiana e britannica che unite arrivano a altissimi risultati.

Il 9 febbraio e il 23 maggio abbiamo ospitato prima la professoressa e senatrice a vita Elena Cattaneo ed il professor Roberto Cingolani per parlare dell'eccellenza italiana in campo scientifico e dei nuovi scenari nella ricerca. Due talk a metà tra lo specifico della ricerca e la relazione tra scienza e istituzioni per creare un sistema Italia, due talk molto importanti in una città come Londra sede di molti professori, ricercatori e studenti italiani, con infinite domande da parte del pubblico.

Il 15 marzo inauguriamo la mostra sulle *Sette Opere per la Misericordia*, legate al famoso quadro di Caravaggio commissionato a inizio Seicento dal Pio Monte della Misericordia di Napoli. La mostra, curata da Mario Codognato, è la prima che si estende in tutto l'istituto e vede la presenza di molti artisti italiani e stranieri tra cui Anish Kapoor, Olaf Nicolai e Henrietta Labouchere presenti anche all'affollatissima inaugurazione. Tre giorni dopo arriva Marina Abramovic a parlare di arte e fotografia, e così ricordiamo il suo passaggio in Barbagia a fare il pecorino nell'inverno del 1977, quando lei e Ulai rimasero tre mesi in un ovile sardo, prima di andare a Bologna per la famosissima azione *Imponderabilia*.

Il 27 marzo, Iaia Forte in italiano e Branka Katic in inglese, leggono *Hanno tutti ragione* di Paolo Sorrentino, la storia delirante di un cantante melodico napoletano che arriva a New York per esibirsi davanti a Frank Sinatra al Radio City Music Hall. È il terzo appuntamento della serie *Contemporary*, curata da Monica Capuani e dedicata al teatro italiano, che aveva già visto Fabrizio Gifuni e Pippo Del Bono. Sappiamo delle difficoltà del teatro contemporaneo italiano nel Regno Unito e per questo è giusto promuoverlo molto, e sappiamo di come molti teatri italiani hanno rapporti forti con drammaturghi britannici e cerchiamo di riproporli nei nostri talk.

Dal 17 maggio al 18 ottobre ospitiamo otto incontri a cura di Boyd Tonkin – una delle massime autorità della critica letteraria britannica – con altrettanti grandi scrittori che vivono in Inghilterra, che all'Istituto sono venuti a parlare di uno scrittore italiano che su di loro ha avuto una grande influenza. Iniziamo con Hanif Kureishi che ci parla dell'importanza di Italo Svevo nella sua formazione e chiudiamo con Ali Smith che racconta Giorgio Bassani, passando per Sarah Dunant su Maria Bellonci, Lisa Appignanesi su Elena Ferrante, Aamer Hussein su Natalia Ginzburg, Ben Okri su Italo Calvino, Jamie McKendrick su Dante Alighieri, Elif Shafak su Primo Levi. Elif racconta in una lecture struggente di come fosse importante per una giovane scrittrice turca leggere Primo Levi, ripercorrere il suo vissuto e riproporlo in una società repressiva come quella turca, da cui poi Elif si distaccò.

Il fatto che otto grandi scrittori britannici riconoscano un grande ruolo formativo alla letteratura italiana, e in particolare a scrittori del Novecento italiano, è una delle tante conferme di come la nostra scena letteraria sia sempre più riconosciuta nel panorama britannico e ribadisce il grande successo della letteratura italiana del nuovo millennio, sempre più tradotta e pubblicata nel Regno Unito.

Il 6 giugno Carlo Rovelli presenta il suo libro *Sette brevi lezioni di fisica*, tradotto da Penguin e grandissimo successo editoriale. Serata molto calorosa con un pubblico giovane e di varie nazionalità, finita con una cena altrettanto calorosa e informale dove Carlo ha parlato con tutti di tutto. Ci siamo lasciati ripromettendoci di presentare nel 2019 il libro *L'ordine del tempo*, appena sarà pronta l'edizione UK.

Il 12 giugno, al termine di una settimana di residenza nella nostra foresteria e di un viaggio nel nord dell'Inghilterra per fotografare il muro di

JOSEF KOUDELKA, MERCATO DI TRAIANO, COMMISSIONE ROMA 2003

Adriano, Josef Koudelka presenta il suo lavoro sui siti dell'Impero Romano. Sala affollatissima, il mondo della fotografia britannica al gran completo, e una proiezione di oltre quattrocento immagini introdotte da me insieme a Josef, con una breve lecture dell'archeologo Andrew Gardner. Alla fine un Q&A che non voleva finire mai, ma che Josef ha a un certo punto interrotto salutando tutti con molto calore.

Il 29 giugno si inaugura la mostra di Pietro Consagra. È un progetto ambizioso che durerà quattro mesi, alternando alle opere del grande maestro del Novecento italiano le fotografie di Ugo Mulas, immenso fotografo, e successivamente i lavori di Marine Hugonnier, prodotti per questa mostra a partire da dieci prime pagine storiche del Corriere della Sera. Un segno per difendere l'arte italiana e per far capire come essa sia anche un grande riferimento per l'arte contemporanea internazionale.

Il 12 luglio la professoressa Sonita Sarker parla di Antonio Gramsci e di Grazia Deledda a conclusione dei suoi studi alla School of Advanced Study per la prima Luisa Selis Fellowship dedicata a studi di antropologia in Sardegna. Dal successo di questa borsa di studio nasce l'idea di costituirne subito un'altra e allora, questa volta in collaborazione con il Warburg Institute, istituiamo una borsa di studio in *Natural Disaster and Cultural Heritage* che partirà a fine anno

Il 21 settembre parte la serie di incontri sulla storia contemporanea curata dal professore Andrea Mammone della Royal Holloway, University of London, con una lezione del professore Federico Filchenstein (New School of Social Research New York City) sul fascismo e populismo, oggetto di suoi lunghi studi culminati nell'edizione del libro *From Fascism to Populism in History* edito dall'University of California press. Sin dalla

Roma - Piazza di Spagna - Trinità dei Monti

SIMON ROBERTS, "SEE YOU SOON, AS AGREED", TRINITÀ DEI MONTI, ROMA, 1956-2014

prima lezione capiamo che l'interesse per i temi della storia contemporanea è molto forte e tutto ciò culminerà in una comunità che continuerà a incontrarsi e dibattere per tutte le successive lecture.

Dopo lunga e accurata preparazione si apre il 21 ottobre il Festival of Italian Literature in London al Print Room Theatre at Coronet. Sin dalla primavera erano iniziati i colloqui con Marco Mancassola e Stefano Jossa per lavorare a un festival. Io avevo subito proposto di non farlo all'Istituto ma fuori, di vivere la città, e Anda Winters ha capito il nostro progetto e ci ha accolti. Da quel momento Marco ha messo su una straordinaria squadra di volontari molto appassionati e il festival è diventato realtà, una bellissima e calorosissima realtà.

La grande mostra dell'anno è quella sui quaderni dal carcere di Antonio Gramsci, per la prima volta esposti fuori i confini italiani (erano stati a Mosca, ma durante la guerra e per salvarli dal regime fascista). L'attesa è grande – Gramsci nel Regno Unito è sempre molto studiato e popolare – e alla inaugurazione dobbiamo togliere le sedie e accogliere oltre trecento persone per sentire le parole dell'Ambasciatore Pasquale Quito Terracciano, del Presidente della Fondazione Gramsci Silvio Pons, del Presidente della Regione Sardegna Francesco Pigliaru, e le mie. La mostra è inaugurata e oltre mille persone si mettono in fila per vedere i quaderni (per fortuna non piove e non fa freddo perché la fila lunghissima in Belgrave Square arriva oltre l'ora di attesa).

Il 6 dicembre Mario Brunello viene all'Istituto e fa una bellissima lezione sul violoncello, la sua storia, le musiche, i diversi tipi di strumento. Le sue parole e le sue musiche sono perfette per la nostra sala del primo piano logicamente affollatissima. Mario il giorno dopo si esibirà alla

DON MCCULLIN, HOMELESS IRISHMAN, SPITALFIELDS, LONDRA, 1969

National Gallery davanti a tre grandi opere; insegna a Londra e sicuramente lo rivedremo all' Istituto.

L'ultimo evento dell'anno è un ricordo del maestro Arturo Toscanini da parte del Sovrintendente al Teatro alla Scala Alexander Pereira, ma quel ricordo non lo ricordo, affetto da una forte influenza devo rinunciare a partecipare. Gaia Servadio, che ha ideato e gestito l'evento mi racconta di un'ennesima riuscitissima serata di un anno meraviglioso per la cultura italiana nel Regno Unito.

Questa intensa e coinvolgente programmazione che ha attraversato l'Istituto durante tutto il 2017 e che ancora lo anima, ha trovato le sue radici e la sua spinta propulsiva qualche mese prima, per esattezza il 24 giugno 2016 quando la mattina del risultato della Brexit molte persone si sono svegliate – soprattutto a Londra – scioccate, incredule. La mia prima reazione è stata quella di rispondere subito, e il primo atto è stato quello di aprire. Loro chiudono, noi apriamo. Con l'avvicinarsi del periodo natalizio si è presentata quindi la prima delle occasioni di apertura dell'Istituto verso la comunità. Da anni è appesa su una parete della mia casa la famosa fotografia di Don McCullin che ritrae un senzatetto irlandese a Londra. Da anni la Comunità di Sant'Egidio organizza ogni Natale, nella Basilica di Santa Maria in Trastevere, un pranzo per i poveri. L'idea è quindi venuta subito e molto naturalmente: una cena di Natale per i senzatetto, i bisognosi di Londra e di tutte le nazionalità. L'istituto si trova a Belgravia, quartiere fra i più ricchi d'Europa, a poca distanza dalla stazione Victoria, storico ritrovo di molti senzatetto. Se il divario tra ricchi e poveri è sempre più in aumento, il rapporto tra gli *homeless* di Victoria e i ricchissimi di Belgravia ne è

DAVID SPERO, EMMA AND JOHN'S, TIRYSBRYDOL (SPIRIT LAND), BRITHDIR MAWR, PEMBROKESHIRE, 2004

l'esempio perfetto: ricchi e poveri di molte nazionalità, vicini ma separati. Il 24 dicembre 2017 abbiamo quindi provato a colmare simbolicamente questa divisione ripetendo la cena di Natale: tavole apparecchiate, piatti in ceramica, bicchieri di vetro, molti volontari della Comunità come camerieri. Un po' di tè caldo per iniziare a scaldarsi, poi musica, chiacchiere e infine regali e panettone per tutti i nostri ottanta ospiti. È ancora molto poco, una semplice serata speciale di accoglienza e di calore in un mondo sempre più chiuso.

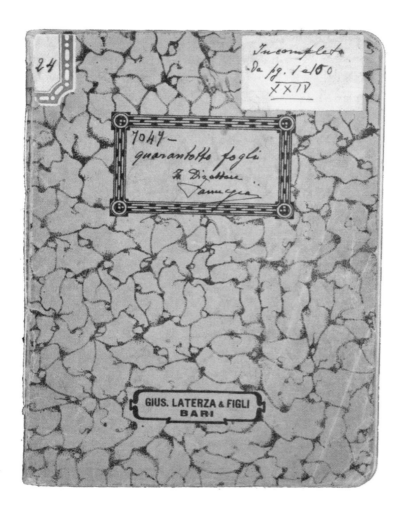

ANTONIO GRAMSCI, QUADERNO 2 (XXIV), 1929-1933
CM 15X20,6 / PAGINE UTILIZZATE 161
MISCELLANEA 1

Together: Pulcinella e soupe d'oignon

Lorenza Mazzetti

Quando sono stata invitata da Marco Delogu a presentare i miei film, sono stata molto contenta, perché so che è un vero buongustaio! Ma non mi aspettavo certo di trovare un cinema pieno di tanta bella gente e una cara persona come Robert Lumley che presentasse con tanto affetto e tanto entusiasmo il mio *Together*[1].

L'ultima volta che ero stata a Londra, andai a cercare i burattinai britannici che avevano importato la Commedia dell'Arte da Napoli. Fui felice di incontrarli perché per un lungo periodo della mia vita ho avuto a Roma un teatro di burattini e avevo fatto esattamente il contrario: presentavo, forse per la prima volta in Italia, i burattini inglesi Punch e Judy. Mi affascinava il fatto che al contrario del nostro Pulcinella[2], Punch era veramente cattivo, il che rendeva lo spettacolo molto divertente. Volete saperne una? Geloso della moglie Judy, una volta prende il suo bambino e lo butta dalla finestra. Era capace delle azioni peggiori ma alla fine riusciva ad evitare qualsiasi punizione. Qualche volta i bambini ai quali piacciono sempre i cattivi, restavano un po' interdetti ma io alla fine dicevo che era tutto un sogno, cosicché la cattiveria svaniva.

---

[1] Si tratta del film Together del 1956, il primo film presentato come manifesto del movimento cinematografico inglese Free cinema e con il quale Lorenza Mazzetti vinse la "Mension au film del recherch" al Festival di Cannes quello stesso anno. La pellicola è stata proiettata in occasione della retrospettiva sull'artista scozzese Eduardo Paolozzi tenutasi presso la Whitechapel Gallery di Londra nella primavera del 2017 e in occasione del London Jazz Festival l'autunno successivo, con l'accompagnamento musicale dei sassofonisti Raymond MacDonald e Christian Ferlaino.

[2] Nel luglio 2016 il filosofo Giorgio Agamben ha tenuto una conferenza presso l'Istituto Italiano di Cultura di Londra riguardante la relazione tra il personaggio shakespeariano Punch e Pulcinella, personaggio della Commedia dell'Arte. L'autore afferma: "I burattinai inglesi – Pulcinella fu importato da Napoli a Londra alla fine del XVII secolo col nome di Punch – la chiamano unknown tongue, una "lingua ignota"; ed è in questa lingua ignota che Pulcinella parla oggi nelle strade e nei teatrini all'aperto dove i maestri (che in Inghilterra si definiscono significativamente professors) ne custodiscono la tradizione." Cfr. Agamben, Giorgio. Londra 1975 – 2016. In Il Capitale Umano: conversazioni a Belgrave Square, p.26.

TOGETHER. REGIA DI LORENZA MAZZETTI, DENIS HORNE, GRAN BRETAGNA, 1956 (52 MIN.)

26

Tornando alla serata organizzata all'Istituto Italiano di Cultura devo raccontare la verità. Alla fine è stato organizzato un rinfresco che prevedeva delle succulente melanzane alla parmigiana... ma nel tempo che sono riuscita ad arrampicarmi per una maestosa scala, quando sono arrivata su, era tutto finito e io sarei rimasta a bocca asciutta se non fosse per il caro Robert[3] che ha diviso con me la sua parmigiana e mi ha portato un bel bicchiere di vino. Per fortuna il giorno dopo Delogu mi ha invitata a pranzo in un meraviglioso ristorante francese dove mi sono abbuffata di *soupe d'oignon*!

Perché dovete sapere che per me, quando vengo invitata in giro, non è tanto importante presentare i miei libri o i miei film, quanto fare una bella mangiata... Grazie Marco!

---

[3] La Mazzetti è stata insignita nel settembre 2018 della laurea ad honorem della University College of London, presso la quale Robert Lumley è docente di *Italian Cultural History*.

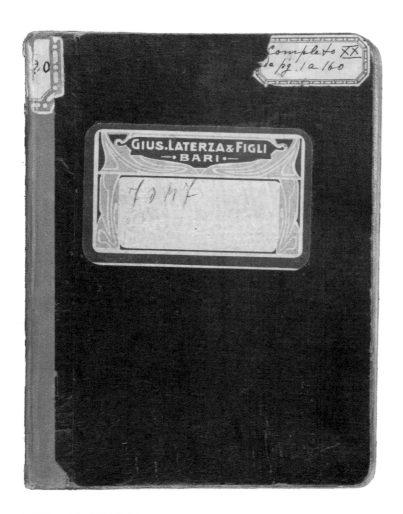

ANTONIO GRAMSCI, QUADERNO 3 (XX), 1930
CM 14,5X19,7 / PAGINE UTILIZZATE 158
MISCELLANEA

Pier Paolo Pasolini a Belgrave Square

Emanuele Trevi

Londra, Istituto Italiano di Cultura, 11 settembre 2017. Approfittando della complicità di Monica Capuani, che dirige impeccabilmente il nostro incontro con il pubblico, io e Massimo Popolizio parliamo dello spettacolo tratto da *Ragazzi di vita* che da quasi un anno va periodicamente in scena al Teatro Argentina di Roma, tutti i posti esauriti ogni sera, una compagnia formidabile di giovani attori, Lino Guanciale nel ruolo del "narratore". Già, proprio questo è un bel punto di partenza, il *narratore* – come lo abbiamo sempre chiamato con Massimo, che non vuol dire necessariamente un'incarnazione scenica di Pier Paolo Pasolini. Se vuoi portare un romanzo su una scena teatrale, pensare all'autore serve a ben poco, è il narratore il bandolo della matassa, altrimenti inestricabile. Per questo, ci abbiamo messo tanto a costruire una drammaturgia. Massimo racconta del limite che ci siamo posti: non aggiungere nemmeno una parola nostra, attingendo esclusivamente dal libro di Pasolini e da un piccolo gruppo di racconti della stessa epoca, che per un motivo o per l'altro non sono finiti nel romanzo ma avrebbero benissimo potuto starci. Con piacere e stupore, percepiamo che la gente in sala, qui al piano terra di Belgrave Square, è interessata a queste faccende di bottega molto più di quello che ci aspettavamo. Perché lo spettacolo, con tutti i suoi attori (quasi venti) e i suoi spazi immensi, è un pachiderma che si può solo evocare con le parole, non abbiamo nemmeno un video da offrire alla visione. Provandolo in uno spazio più piccolo, tanto per dare un'idea dei problemi empirici che possono insorgere, sembrava che ormai, dopo tanti mesi di lavoro, il copione fosse perfetto – nei limiti delle nostre capacità, si intende. E invece, quando la compagnia è approdata all'Argentina per l'ultimo ciclo di prove, è venuto fuori che molte battute andavano adeguate alle dimensioni di quel palco immenso. Sempre con l'impegno solennemente rispettato di non fare i furbi con il testo di Pasolini. Monica è davvero brava, non sbaglia una sollecitazione, e piano piano viene fuori anche tutto un aspetto autobiografico, il piacere di lavorare insieme, le lunghe riunioni durante le quali Massimo mi regalava alcune sublimi interpretazioni del testo. E certo, anche le difficoltà iniziali, non avevamo mai fatto nulla insieme prima di quell'esperimento così complesso (e costoso!). Proprio io avevo fatto un errore, incaponendomi su un inizio in cui volevo usare una lettera di Pasolini a Livio Garzanti, a Massimo giustamente sembrava un attacco troppo astratto, voleva entrare direttamente nella materia senza sottigliezze da critico letterario. Ed è così che abbiamo costruito il monologo iniziale che Lino fa così bene, ogni sera meglio, perché è un attore straordinario che si lascia sempre aperti dei margini di miglioramento, ragiona sulle cose che fa, ascolta. Il *narratore* che incarna nello spettacolo è una figura duplice, c'è nel suo racconto una sistole e una diastole, perché a volte vola alto, fa delle panoramiche straordinarie sulla città "stupenda e misera", poi come un rapace scende in picchiata, ed eccolo vicino al Riccetto e agli altri ragazzi di vita, non confuso tra loro ma, appunto, vicino, e il linguaggio del teatro diventa una straordinaria possibilità di rendere evidente questa posizione etica ed estetica. Un altro argomento che salta fuori quasi naturalmente è quello di Luca Ronconi, perché per Massimo, ovviamente, ma anche per me, il Pasticciaccio di Ronconi (che andò in scena all'Argentina) è un modello insuperabile di elaborazione drammaturgica di un romanzo. Ma poi, rimane ancora un po' di tempo per raccontare la sera della prima. La sala strapiena, Lino e gli altri ragazzi come altrettante frecce pronte a scoccare dall'arco. E finalmente, dopo mesi che pensavamo a questo momento, ecco che tutto ha inizio: dieci secondi di spettacolo, mezzo minuto... ma tutti cominciano a guardare il soffitto, qualcuno al centro della platea già si alza! La scossa di terremoto, molto prolungata, fa ondeggiare in maniera terrificante l'enorme lampadario di cristallo che pende sulle teste del pubblico. I pompieri prendono in mano la situazione, mentre la gente si riversa nel foyer e sulla piazza come alla fine degli spettacoli. Ma pensa te se doveva succedere proprio in questo momento! La sera della prima! Ma questa è la nostra vita, una serie continua di prestazioni assediate da ogni tipo di imprevisti. Io stesso sono qui a Belgrave Square, stasera, dopo aver preso un ultimo aereo per Londra dopo che quello prenotato era stato annullato a causa di una tempesta estiva. Ricorderò sempre, durante la mezz'ora di parapiglia successiva alla scossa, Lino seduto sul bordo del palco, impegnato a trattenere la concentrazione, nell'occhio di un ciclone emotivo. Dire che gli imprevisti e i contrattempi hanno la loro bellezza mi sembra un'ipocrisia, io vorrei che andasse sempre tutto liscio. Eppure, come non ammetterlo? Sono gli imprevisti e i contrattempi a fare di tutto ciò che che accade una specie di miracolo.

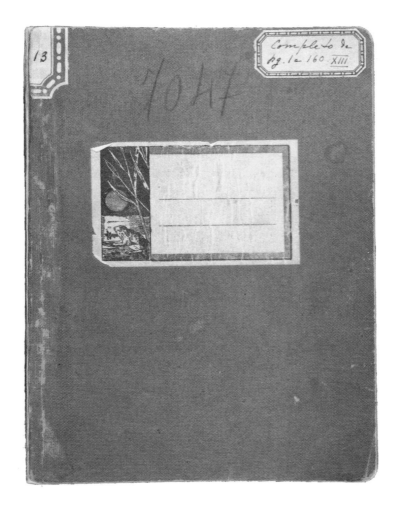

ANTONIO GRAMSCI, QUADERNO 4 (XIII), 1930-1932
CM 15X20,5 / PAGINE UTILIZZATE 160
IL CANTO DECIMO DELL'INFERNO
MISCELLANEA
APPUNTI DI FILOSOFIA-MATERIALISMO E IDEALISMO. PRIMA SERIE

Hanif Kureishi on Italo Svevo

Hanif Kureishi

La coscienza di Zeno è in realtà una commedia, una commedia su tutti noi, e con questo intendo dire che è davvero un'opera intelligente, scritta da un uomo che si supponeva dovesse prendere nota dei suoi pensieri, dei suoi ricordi e delle sue impressioni per il suo psicoanalista ed è molto scettico riguardo alla psicoanalisi, ma scrive comunque questi appunti, che poi diventeranno il libro. [...]

Stavo pensando che all'inizio del ventesimo secolo Freud pubblicò tre libri notevoli, uno sui sogni, un intero libro sul jazz e un altro sui piccoli problemi della vita quotidiana, cioè *Psicopatologia della vita quotidiana*. Tutti questi libri in realtà dicono una sola cosa, che è: tu non sei chi pensi di essere. Infatti in ogni istante della tua vita, quando ti alzi dal letto, fai colazione, esci in strada, vai a lavoro, l'intera giornata è tutta una serie di errori. Fai un sogno in cui potresti immaginare di essere ucciso da tuo padre, poi ti svegli e commetti un errore, telefoni alla persona sbagliata, telefoni alla tua amante invece che a tua moglie. Questi tre libri ci dicono che in realtà le nostre vite sono permeate, in ogni singolo momento di ogni giorno, da azioni assurde o da azioni dettate da ciò che potremmo definire il nostro inconscio. Un uomo entra in un ristorante con la sua amante e invece di dire "Potrei avere un tavolo per due?", dice "Potrei avere una stanza per due?" e noi facciamo questi errori continuamente perché siamo repressi e ciò che abbiamo represso ritorna e si mostra nuovamente, talmente forte è il nostro desiderio. La *coscienza di Zeno* mi sembra il ritratto di un uomo la cui vita è stata resa interamente una farsa dal suo inconscio. Conosce un uomo che ha quattro figlie, si innamora della prima figlia, poi si innamora della seconda figlia e poi si innamora della terza, mentre non gli piace la quarta figlia. E ovviamente l'unica che lo ama è la quarta. Allora lui la sposa e alla fine lei risulta essere la più gentile di tutte. Quindi tutta la sua vita è una serie di errori. Inizio a credere che quest'uomo non abbia interesse per la sua stessa vita, non riesce a fare nulla di quello che vuole fare perché viene sabotato dal suo inconscio, che in un certo senso vuole l'opposto di ciò che vuole lui. Per cui il libro è una specie di farsa, ma anche un'analisi di quello che Freud cominciò a pensare all'inizio del secolo che è: noi non siamo chi pensiamo di essere.

ANONIMO, RITRATTO DI ITALO SVEVO, INIZIO SECOLO

ANTONIO GRAMSCI, QUADERNO 5 (IX), 1930-1932
CM 14,5X19,7 / PAGINE UTILIZZATE 152
MISCELLANEA

Ben Okri on Italo Calvino
Ben Okri

Ho scoperto Calvino relativamente tardi nella mia vita letteraria. E questo perché ho iniziato a scrivere piuttosto presto. Penso che la scrittura vada di pari passo con la lettura, in un certo senso. Quindi la mia esperienza da lettore è iniziata con quei solidi realisti, i naturalisti, se vogliamo essere precisi sulle definizioni. Persone come Maupassant, Chekov. Persone che si studiano a scuola, come Shakespeare, non contano. Ciò che conta davvero è la lettura volontaria. Avevo già iniziato a scrivere e avevo scritto già qualche libro quando ho scoperto Calvino. Ma Calvino è uno di quei nomi famosi, diciamo che è una presenza. È tre cose: un corpus di opere, una presenza, in un certo senso un ammasso di idee. Si ha a che fare con Calvino. Fa parte dell'atmosfera, ne faceva parte e ne fa parte ancora. Era un uomo così misterioso, con un nome così affascinante. Italo, così simile a Italia, Calvino, che ricorda un po' la religione e il calvinismo. Ci sono molti aspetti. Prima di tutto, la pulizia nella sua scrittura. C'è il fatto che lui stesso è partito come scrittore realista ed è diventato uno scrittore di metaromanzi e il fatto che ha iniziato a scrivere occupandosi dalla guerra e di quando era cresciuto. Un torrente di idee. Ho letto Calvino per la prima volta piuttosto tardi, avevo già scritto due libri e una raccolta di storie. Il suo primo libro che ho scoperto è stato *Le città invisibili*. Sono stato attirato da *Le città invisibili* in parte dal titolo – era veramente un bellissimo titolo – e in parte dalla sua fama, dal modo in cui le persone parlavano di lui e leggere *Le città invisibili* per la prima volta significa per uno scrittore avere il proprio status alterato. La corrente maggioritaria della nostra letteratura tende a favorire la narrativa completa, i personaggi, la trama, aspetti di questo genere, davvero molto rispettabili. E poi trovi qualcuno che riesce a trasmetterti questo incredibile fascino, ma in un modo indiretto, in un modo che concentra la sua intelligenza, chiarezza, densità, ricchezza, bellezza, poesia, arrivano tutte insieme. Calvino ti fa prestare attenzione, concentra la tua percezione. Ogni frase delle sue opere è significativa e non casuale. È un maestro dei libri brevi. [...]

Le città invisibili è una meditazione poetica sulla natura della realtà, la natura della cultura e della scienza. Le città visibili non devono essere viste. Sono troppo visibili. Ciò che è visibile ci è nascosto, ci è necessaria un'altra strategia per vedere quello che vediamo, ovvero osservarlo attraverso uno specchio o una superficie lucida, così da poter tagliare la testa a Medusa. La realtà ci è nascosta, perché è più di ciò che vediamo. Calvino si dilunga sempre su questo. Che è più di quello che sappiamo. La vera natura delle cose ci è nascosta. Forse il modo migliore per arrivarci è la via più scontata. La via nascosta, quella non visibile. *Le città invisibili* è un romanzo sulle fratture e sui frattali, sulla cristallografia e sulla matematica, sul simbolismo, sull'interpretazione dei segni, sulla sineddoche e sui metatesti. La narrativa nelle *Città invisibili* è indiretta, si svolge nei margini. Il romanzo è inserito in una cornice, a sua volta inserita in una cornice. Alcuni di qurei fatti sono terribili quando sono interpretati in modo casuale. Ci sono cinquantacinque piccole narrazioni, come ho già detto. I numeri sono fondamentali in questo. Ci sono undici suddivisioni tematiche e l'undici, come tutti sappiamo, è uno dei piu straordinari numeri primi. È anche un numero magico, non solo nella matematica, ma anche nella "mate-magica" e nella metafisica della kabala. Il numero perfetto nel sistema pitagorico è il dieci. Il dieci è chiamato *deca divino*. Contando all'indietro da dieci a uno, si entra in quella che io chiamo la grande circolarità. Ci sono cinquantacinque narrazioni, come ho detto. I numeri sono fondamentali in questo. Ci sono delle suddivisioni. Le cinquanta-cinque narrazioni. Cinque più cinque fa dieci. Dieci è il completamento di un ciclo. L'undici lo inizia. È come l'uno in *Le mille e una notte* cui si riferiva Borges, quell'uno marca la differenza in una specie di ciclo infinito di narrazione. Cinque è una nota sul pentagramma, che in ultima analisi simboleggia quell'elemento oltre ai quattro elementi, ovvero terra, fuoco, acqua e aria. Il quinto segreto nascosto, il principio rigenerativo.

Quando si considerano tutti questi elementi matematici segreti del libro, si può solo arrivare alla conclusione che una delle cose che Calvino sta facendo è suggerire che il romanzo sia un testo per guardare al mondo, ma anche un testo che ha la possibilità di rigenerarlo.

Le città di cui parla Marco Polo sono in realtà un'unica città, cioè Venezia. Ciò mi fa nascere tutta una serie di considerazioni. Se Calvino ci sta dando cinquantacinque narrazioni, è davvero indiretto, sono storie segrete e narrazioni segrete su quest'unica città. Cosa ci sta dicendo della nostra percezione del mondo? Che in realtà noi andiamo fuori nel mondo, viaggiamo lontano e in tanti luoghi, ma in realtà ciò che vediamo è influenzato da un archetipo di città che portiamo dentro di noi. Un archetipo di luogo. Ci suggerisce anche l'idea che in realtà noi vediamo il mondo attraverso un unico mondo segreto.

Nello scrivere *Le città invisibili* (1972) Calvino prende ispirazione dal libro *L'idea di città* dell'architetto Joseph Rykwert. Benché il libro sia stato pubblicato nel 1976, il saggio era stato pubblicato sul magazine Forum alla fine degli anni Cinquanta, dove aveva attirato l'attenzione di Calvino.

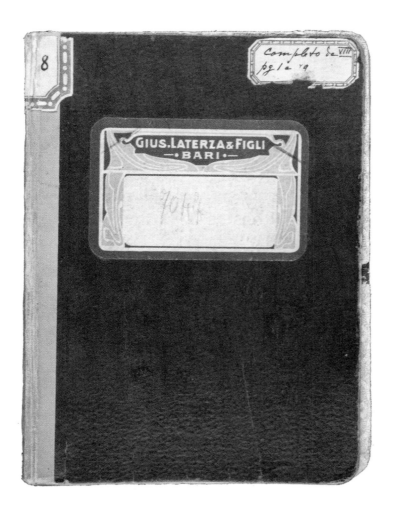

ANTONIO GRAMSCI, QUADERNO 6 (VIII), 1930-1932
CM 14,7X19,7 / PAGINE UTILIZZATE 155
MISCELLANEA

Elif Shafak on Primo Levi
Elif Shafak

È un privilegio poter discutere con te di questo autore che rispetto enormemente. Non molte persone, in italia o nel mondo, sanno questa cosa probabilmente, ma in Turchia, nonostante non ci siano così tanti lettori, abbiamo un meccanismo di traduzione relativamente buono, il 40-45 % dei libri pubblicati è tradotto da lingue occidentali, quindi in un certo senso noi leggiamo più letteratura europea di quanto gli europei leggano letteratura turca. E il motivo per cui dico questo è perché si possono trovare le opere di Primo Levi anche in turco e quindi le ho lette sia in turco che in inglese e sono state principalmente le sue opere autobiografiche a colpirmi e a rimanermi dentro. Ovviamente in *Se non ora, quando?*, benché sia una storia di finzione, è presente anche un forte elemento autobiografico. È però *Se questo è un uomo* che mi ha colpito fortemente. Dal mio punto di vista, non è possibile leggere questo libro interamente, dall'inizio alla fine, bisogna rifletterci sopra. È molto forte, ti rimane dentro per molto tempo, ci ritorni sopra. È un libro che ha molte porte, ti porta dentro e resta con te in seguito. [...]

Levi era molto cosciente del fatto che la vita è una lotteria e che il fatto che lui fosse sopravvissuto al campo fosse una coincidenza del fatto che fosse uno scienziato, che avesse studiato il tedesco. Tutti questi aspetti lo hanno aiutato a sopravvivere, ma ci sono stati molti altri con le stesse qualità che non sono sopravvissuti e lui ne era molto cosciente. È interessante il fatto che negli ultimi giorni prima della liberazione del campo, come sapete, ci fu una marcia della morte. I prigionieri sani dovettero prendere parte a questa marcia della morte, solo quelli in punto di morte, i più malati, furono lasciati nell'area del campo e lui, casualmente, si era ammalato così tanto da rimanere lì. Se fosse stato incluso

PIETRO SCARNERA, PRIMO LEVI, DA UNA STELLA TRANQUILLA, BOLOGNA, COMMA 22, 2014

nella marcia della morte, sarebbe sicuramente morto. Quindi era un uomo che, non credendo nella religione, non credeva di essere stato in qualche modo scelto perché migliore di altri. È molto cosciente del caos, dell'ingiustizia, della casualità, della lotteria che é la vita. Quindi come curarsi? Credo che sia questa la domanda. Secondo me, per una mente come la sua, la cosa giusta da fare è curarsi, ma questo non significa che una volta messo per iscritto ciò, il passato resti alle proprie spalle. Il fatto che se ne scriva implica anche procurarsi un costante dolore e permettersi di ricordare. Per me questo è un dilemma interessante. Ho parlato con dei sopravvissuti del genocidio armeno, persone appartenenti alla seconda generazione, persone molto anziane appartenenti alla prima generazione e anche con persone appartenenti alla terza generazione. Ciò che è interessante da notare è che ho ascoltato tutte queste testimonianze dirette di persone della prima generazione e nessuno di essi, benché abbiano ovviamente sofferto molto, è così arrabbiato, perché hanno attraversato momenti felici e infelici, quindi il loro è un approccio complesso. Le persone della seconda generazione sono invece altrove, perché volevano solamente andare avanti. La terza generazione, i nipoti, hanno la memoria più vivida. Quindi abbiamo questa nuova generazione che porta avanti la memoria dei propri nonni ed è in un certo senso più arrabbiata, perché non ha memoria di quei dettagli quotidiani che in qualche modo danno ai sopravvissuti una vena umoristica anche nelle circostanze più nere. E si può vedere questo anche in Primo Levi. Quei dettagli di cui lui scrive senza indugiare, un giorno pensa al tempo e comunque siamo ad Auschwitz, quindi si può capire cosa intendo.

ANTONIO GRAMSCI, QUADERNO 7 (VII), 1930-1931
CM 14,5X19,7 / PAGINE UTILIZZATE 149
TRADUZIONI DA K. MARX, LOHNARBEIT UND KAPITAL. ZUR JUDENFRAGE UND ARDERE SCHRIFTEN AUS DER FRUHZEIT
MISCELLANEA
APPUNTI DI FILOSOFIA-MATERIALISMO E IDEALISMO. SECONDA SERIE

Ali Smith on Giorgio Bassani

Ali Smith

Circa cinque anni fa trovai una traduzione del libro *Il giardino dei Finzi-Contini* del poeta Jamie McKendrik. La lessi e fu come leggere un romanzo ed essere catapultati ad un livello di compresione bidimensionale per me. Poi non lessi nient'altro, fino a quanto non iniziai a scrivere il romanzo *How to be both*, che avrebbe parlato di affreschi, ma non sapevo di quali affreschi. Beh, conoscevo la struttura degli affreschi, cioè che il dipinto è incorporato all'interno delle mura di un edificio. Il risultato è che, se si toglie un affresco dal muro, bisogna staccare un pezzo di muro. [..] Non sapevo nulla su Bassani, sulla sua vita ed è stato piuttosto difficile trovare qualche informazione in inglese. Lessi *Il giardino dei Finzi-Contini*, *Gli occhiali d'oro* e *Cinque storie ferraresi* e, leggendo quel libro, rimasi senza parole per la impressionante bellezza di quello scritto. Mi sbalordì il suo non scendere a compromessi con la storia di questo luogo, la quale si sviluppa lentamente fino all'amore e alla crudeltà. Ma anche il suo non scendere a compromessi con le abitudini dei ferraresi quando vennero emesse le leggi razziali nel 1938, che stabilivano che la piccola comunità ebraica venisse esclusa. E in seguito, continuando a leggere, realizzai che quello era ciò che Bassani stava scrivendo, esattamente come la struttura di un affresco, come un racconto aperto, poiché conteneva tutto il tempo e lo spazio. [..]

Bassani sapeva che c'era un rimprovero del dolore nelle sue opere ed è per questo che lo trovo un autore così cruciale. Lui attraversa il dolore, non fa compromessi sul dolore, non ti permette di scivolare nel dolore, vuole mostrarti quanto fosse scioccante. E poi ti mostra una continuità. Mette insieme tutti questi mattoni e poi dice di guardare quella sequenza, al modo in cui funziona e al modo in cui le cose non smettono mai di avere la capacità di cambiare. E questo è ciò di cui egli stesso era consapevole rispetto alle proprie opere e continuava a cambiarle, rivederle, togliere parti che non gli piacevano. Attraverso la revisione delle sue opere stava lavorando a questa grande opera, che era nel contempo un lavoro di continuità, comunicazione, contatto e connessione tra di esse. [..]

Molte delle sue storie iniziano in un cimitero, proprio come *Il giardino dei Finzi-Contini* – infatti il cimitero è il giardino – e poi si arriva alla raccolta di storie finale, *L'odore del fieno*, e il titolo deriva da una delle storie in cui c'è la descrizione dell'odore dell'erba tagliata per poter seppellire qualcuno, quando si andava ai funerali. Quando stavo lavorando all'introduzione per questa raccolta di storie, mi sono imbattuta nella parola "aftermath / conseguenze" e mi sono soffermata sulla nozione di "conseguenze" in particolare per questa collezione, in cui Bassani riflette su come incontrare il dolore. Aftermath, come parola, indica l'erba che cresce dopo è stata tagliata l'erba. Questa è la sua etimologia. Il che mi fa pensare che lui sapesse esattamente cosa stesse facendo ne *L'odore del fieno*, perché dopo aver tagliato l'erba ne continua a crescere altra, ancora e ancora. [..] Bassani dice: «il dolore è vero, ma noi viviamo. I morti non vivono, noi viviamo. E dopo muoriamo». [..]

Bassani trascorse gli ultimi anni a rivedere i riferimenti a Ferrara nei suoi libri in maniera più definita, con le strade e le mappe reali. [..] Mi entusiasma il fatto che leggendo i libri di Bassani, il lettore sia inserito nel mondo, nel mondo reale. Il libro e il mondo reale non sono due cose separate. [..] Bassani scrisse di quanto fosse innamorato di Ferrara, per la quale, tornandovi, è sempre il ragazzino ebreo cui non toccò lo stesso destino delle poche persone della sua comunità. Scrisse di quanto amasse le mura rosse di Ferrara, come si amano gli innamorati. [...]

ANDREA VENTURA, GIORGIO BASSANI, 2011

ANTONIO GRAMSCI, QUADERNO 8 (XXVIII), 1930-1932
CM 14,7X19,7 / PAGINE UTILIZZATE 157
NOTE SPARSE E APPUNTI PER UNA STORIA DEGLI INTELLETTUALI ITALIANI
RAGGRUPPAMENTI DI MATERIA
MISCELLANEA
APPUNTI DI FILOSOFIA-MATERIALISMO E IDEALISMO. TERZA SERIA

48

Londra: pezzi di una famiglia in pezzi

Elisabetta Rasy

Tra le tante presentazioni dei libri che ho scritto, quella avvenuta a Londra nel settembre 2017 non la dimenticherò. Sembra una frase fatta, invece è proprio così. Non che in genere dimentichi le presentazioni dei miei libri, le ho ben presenti (forse non proprio tutte…). Ma davvero quella all'Istituto Italiano di Cultura della capitale inglese è stata particolare. Nata per caso, come spesso le situazioni felici. Il Direttore Marco Delogu, a mia insaputa, aveva dato da leggere il mio libro *Una famiglia in pezzi* all'Ambasciatore italiano a Londra. Il mio libro s'intitola *Una famiglia in pezzi* – confidando un po' ottimisticamente che tutti realizzino la differenza tra l'espressione "in pezzi" e l'espressione "a pezzi" – perché effettivamente la mia famiglia è composta di elementi diversi per origine, nazionalità e destino individuale, che si sono uniti per poi distaccarsi ognuno per la sua strada. E così in pezzi, cioè per frammenti, rispettando l'autonomia delle singole storie, avevo voluto raccontarla in un arco di tempo che va dalla metà dell'Ottocento alla metà del Novecento. Fanno parte dei frammenti un diplomatico inglese che parte da Londra e va a finire a Salonicco e personaggi vari del ramo napoletano, che appunto si incrociò con quello anglo-greco al tempo dei miei nonni.

Delogu deve aver pensato che, in quanto diplomatico e in quanto napoletano, l'Ambasciatore Pasquale Terracciano potesse essere incuriosito dall'argomento. Ma io sono rimasta prima di tutto sorpresa, e poi piacevolmente sorpresa, quando ho saputo che, in tempi di Brexit, l'ambasciatore aveva trovato il tempo di leggere il libro e di apprezzarlo. E ancora più sorpresa quando mi è stato detto che aveva acconsentito a presentarlo a Londra nella bella sede dell'Istituto a Belgrave Square.

Inutile dire che sono arrivata al pomeriggio della presentazione molto curiosa e anche un po' perplessa su come avrei dialogato con Terracciano. Avevo

I Storia di uno che parti di casa per imparare così è la pelle d'oca.

ANTONIO GRAMSCI, QUADERNO A (XIX)1929
CM 15X20.6 / PAGINE UTILIZZATE 200
"DIE LITERARISCHE WELT" (TRADUZIONI)
TRADUZIONI DA J. E W. GRIMM, FÜNFZIG KINDER-UND HAUSMARCHEN, I

ovviamente fatto delle ricerche sull'attività diplomatica del mio trisnonno, ma non avevo trovato granché. L'ambasciatore ha invece spiegato con grande sapienza e grande chiarezza come funzionava il mondo diplomatico ottocentesco: una piccola lezione di storia della diplomazia che tutti, in primo luogo io ma anche il pubblico in sala, abbiamo seguito con molto interesse, perché è materia tanto importante quanto poco conosciuta. Ma la mia vera grande soddisfazione è stata quando Terracciano, rivelandosi un lettore molto acuto e un napoletano molto addentro negli usi e costumi della sua città, ha raccontato di aver conosciuto tante signore della società borghese napoletana simili alla nonna di cui parlo nel libro. Perché soddisfazione? Perché, in un secolo che sembra distante dal precedente quanto un'era geologica, tutti i lettori del libro con cui avevo fin lì parlato avevano trovato singolare fino alla inverosimiglianza il ritratto della nonna dedita ai riti dell'amicizia e ai dolorosi piaceri del tavolo da gioco (e del suo entourage), fedele a uno stile in cui la *joie de vivre*, la socievolezza, la musica e la gentilezza vanno spensieratamente tutelate più del patrimonio famigliare.

L'Ambasciatore con grazia e ironia anche su questo è riuscito a fare una piccola lezione di storia materiale di una città di cui tutti parlano senza conoscerla davvero o affidandosi alle retoriche, sdolcinate o noir, di volta in volta di moda. La presentazione si è trasformata così in un dialogo in cui, a partire dal libro ma poi accantonandolo, ci siamo immersi in temi che ci appassionavano e che appassionavano l'attentissimo pubblico: le vicende del Sud d'Italia, la sua complicata integrazione al Nord, lo strano impasto, fin dalle più antiche origini secondo l'ambasciatore, dei suoi abitanti e dei loro caratteri e attitudini. Ho imparato molte cose quel pomeriggio, non solo su di me e sulla mia scrittura.

ANTONIO GRAMSCI, QUADERNO 9 (XIV), 1929-1932
CM 15X20,6 / PAGINE UTILIZZATE 201
ANTOLOGIA RUSSA DI R.G. POLLEDRO E A. POLLEDRO (TRADUZIONI)
MISCELLANEA
NOTE SUL RISORGIMENTO ITALIANO
MISCELLANEA

L'identità e la scrittura

Giorgio Van Straten

Non ero del tutto a mio agio prima di entrare nell'Istituto Italiano di Cultura a Londra lo scorso novembre.

Un po' perché vi assicuro che è strano entrare in un istituto mentre se ne dirige un altro: finisce che fai confronti, sei invidioso delle cose che vedi e tu non hai e ti inorgoglisci, segretamente, per quello che nel tuo ti sembra migliore. Insomma entri in competizione.

Il secondo motivo era che mi aspettava una conversazione in una lingua che non è la mia e che anche dopo due anni e mezzo di intensa frequentazione ancora mi fa sentire a disagio. Un disagio accentuato dal fatto che, dopo un lungo periodo di accento americano, appena sbarcato sul suolo inglese mi sembrava di non riuscire a capire nemmeno una parola di quello che mi veniva detto.

Il terzo motivo era che nel pubblico ci sarebbe stata mia figlia Rebecca e non è mai facile sottoporsi ai giudizi dei figli.

Ma tutto questo è durato il tempo di entrare a Belgrave Square, perché dentro mi aspettavano due persone che mi hanno fatto cambiare stato d'animo.

Una era Marco, collega certo, ma soprattutto amico che mi ha fatto sentire in quelle stanze come in un salotto di casa, mi ha portato nel suo ufficio e mi ha fatto sedere davanti a lui, chiacchierando. Ho pensato che eravamo entrambi fortunati ad avere avuto l'occasione di lavorare all'estero a rappresentare la cultura italiana, con la possibilità di mostrare, in grande libertà, ciò che ci sembra il meglio del nostro Paese. E sì, è vero, ci siamo anche lamentati delle mille complicate incombenze burocratiche che ci aspettano ogni giorno, ma come un calciatore si può lamentare degli allenamenti: poi lo aspetta sempre la gioia della partita.

ANTONIO GRAMSCI, QUADERNO B (XV), 1929-1931
CM 15X20,6 / PAGINE UTILIZZATE 191
TRADUZIONI DA J. E W. GRIMM, FÜNFZIG KINDER- UND HAUSMARCHEN, II
LE FAMIGLIE LINGUISTICHE DEL MONDO DI FRANZ NIKOLAUS FINCK, I

L'altra persona era Ian Thomson, un scrittore inglese, autore di una bellissima biografia di Primo Levi, che doveva parlare insieme a me dei miei libri perduti.

Ha cominciato subito a chiedermi e a commentare le mie storie, in una conversazione che, iniziata nell'ufficio di Marco è continuata, senza soluzione di continuità, nella sala dove ci aspettava il pubblico (anche mia figlia e mio genero dei cui giudizi non ero più preoccupato).

Ian sembrava aver capito perfettamente quello che io avevo voluto fare raccontando quelle storie, e io capivo perfettamente il suo perfetto inglese nella sua perfetta pronuncia british (ma pochi giorni dopo, al cinema, a vedere Dunkirk, di nuovo mi sarei sentito incapace di comprendere i protagonisti del film).

E mentre parlavo mi sono reso conto che il primo e l'ultimo di quei libri perduti erano stati distrutti proprio a Londra; e che lì c'erano lo studio dell'avvocato dove era stata bruciata la biografia di Byron e l'ultima casa di Sylvia Plath, a 23 Fitzroy Road, quella dove si era ammazzata (in quel momento ho pensato di andarci e poi non l'ho fatto).

Sono rare le occasioni capaci di rimettere insieme i diversi pezzi della propria identità, nel mio caso la scrittura, il lavoro e gli affetti; le occasioni che chiudono un cerchio, come succede spesso nei libri ma quasi mai nella vita.

A me è successo quella sera a Londra, all'Istituto Italiano di Cultura.

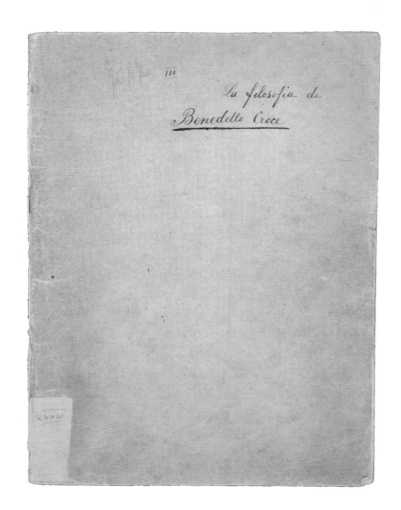

ANTONIO GRAMSCI, QUADERNO 10 (XXXIII), 1932-1935
CM 20,8X26,7 / PAGINE UTILIZZATE 100
LA FILOSOFIA DI BENEDETTO CROCE

La vita è larga
Alberto Rollo

Mi era sembrato di raccomandare che il mio aereo non arrivasse al London City Airport, e soprattutto che da lì non ripartisse. Solo un anno prima ero rimasto due giorni (due giorni!) in attesa che la nebbia si levasse, prima di poter tornare in Italia, E il London City Airport è rimasto epitome d'ansia, simbolo di incertezza, misura della dipendenza dal fattore atmosferico. E invece sono arrivato, e poi ripartito da lì senza incidenti di sorta.

L'Istituto Italiano di Cultura mi ha invitato a partecipare a un incontro insieme a Paolo Rumiz – tema il suo *Ciclope* al quale avevo lavorato due anni prima in Feltrinelli. Dovevamo portare quest'isola innominata del Mediterraneo a Londra, far sentire le tempeste, i colori ventosi, la solitudine w il volo degli uccelli in Belgrave Square. Con Paolo si può andare dovunque e reinventare ovunque un rifugio alpino, un fuoco di carpine in un camino appenninico, una strada smarrita sui Balcani, una cotogna insaporita d'amore, l'ombra di Annibale, l'orma di Omero, la resistenza di una bicicletta e il destino di un soldato triestino durante il primo conflitto mondiale. È facile, ed è bello.

Così arrivo, abbraccio Marco Delogu, che fa da padrone di casa come sa, e attendo il "compare" (così ci chiamiamo spesso reciprocamente). Quando arriva Paolo, insieme a Irene, sua meravigliosa compagna, ci rintaniamo in una sorta di ufficio-corridoio. Non c'è nulla da preparare, si va a braccio, ma rasserena starsene lì, in attesa. Anche in sala c'è una bella atmosfera: cerco di mettere a fuoco, se esiste, l'italiano a Londra (diffusissimo nell'ante-brexit, ma anche nel dopo, e forse sempre), ma qui non ha ragione di emergere come tipologia: qui l'italiano è a casa sua, da qui misura la sua appartenenza al paese di provenienza e a quello ospite senza ansia. Così sembra.

Ci sono amici, amiche. Londra per me è la lunga bella consuetudine con Simonetta Agnello Hornby e con Enrico Franceschini. Vi è tornata Benedetta Cibrario, ci piace rammentare insieme una lunga camminata lungo il Tamigi e poi più in là, verso la cattedrale di Saint Paul e oltre, in cui ho sentito il suo nuovo romanzo rinsaldare le radici in profondità. E a Londra si è trasferita l'intrepida Caterina Soffici, che ha raccontato l'Arandora Star e gli immigrati italiani a Londra durante il secondo conflitto mondiale. Compare fra il pubblico anche Marco Mancassola che sta lavorando al Festival of Italian Literature e che è in città da quasi una vita. Mi piace pensare di essere lì insieme a tutti questi "miei" autori, dove il possessivo è più affettivo che professionale.

Che ne sapevo negli anni settanta di italiani in Inghilterra: ci ero venuto in Lambretta con l'amico Maurizio e avevamo trovato una branda in un dormitorio pubblico, avevamo accettato ospitalità in casa di hippies sgangherati, in camere di studentesse in economia. Digiunavamo allegri e, senza danaro, facevamo su e giù per il West End rimandando l'ingresso nei teatri alla maturità.

Alla fine degli incantamenti mediterranei di Paolo, Marco Delogu mi invita a spiegare come mai ho lasciato la casa editrice Feltrinelli dove ho lavorato per ventidue anni: fra le cose che dico c'è che la vita è larga, sì uso proprio questo aggettivo "larga", piuttosto che lunga, ed è salutare mettere a dimora esperienze diverse, guardare il mondo con occhi non abituati alla luce che conosciamo. Metafore. Ma poco dopo un giovane collaboratore dell'Istituto mi dice che non ci aveva mai pensato a quella proprietà dell'esistenza, l'essere "larga", e dunque ricettiva, e dunque non in competizione con il tempo. Mi piace, se ci sono riuscito, aver lasciato un seme, e aver temperato quel po' d'ansia che ci fa correre sempre.

Corriamo invece, Paolo, Irene ed io, appena dopo l'incontro, al Reform Club in St James, dove ci aspetta Simonetta Agnello insieme a Marco Varvello (un altro segmento importante dell'Italia a Londra). Il ristorante del club ha orari molto severi, e noi arriviamo appena in tempo. Simonetta, membro del club, ci intrattiene, è a suo agio, come sempre. Il bello di Simonetta a Londra è che l'ha vissuta da avvocato, e si sente; che ci ha cresciuto figli inglesi e si sente, che non ha mai smesso di coltivare il suo orgoglio di siciliana, e anche questo si sente – ed è bello sentirlo. Con lei ho conosciuto il mercato di Brixton e la Picture Gallery di Dulwich, il museo Horniman disegnato da Charles Harrson Townsend alla fine dell'Ottocento nella South London, e l'architettura settecentesca di Nicholas Hawksmoor (St Mary Woolnoth, nella City, è un edificio che si è conquistato un ruolo inquietante nei miei fondali onirici). Da Simonetta ho anche imparato a non impiattare, ma questo è discorso che ci porterebbe lontano.

A casa Delogu – un appartamento che credo comunichi con l'Istituto ma vi si accede da Montrose Place – c'è aria di famiglia. La mattina facciamo colazione lì, Paolo, Marco, sua moglie. Provo a farmi domande su quello stare lì, ad attivare, come meglio si sa, attenzione e sensibilità per fare di un luogo una promessa di comunità culturale. Marco Delogu "nasce" fotografo, dunque sa guardare. E qui è dotazione pregevole. Guardare la città e soprattutto chi ci vive. Salgo su un taxi che gira intorno ai giardini di Belgrave Square in un silenzio rinforzato dall'ora e dalla lattiginosità dei palazzi. Forse il giovane della sera prima – e con lui il giovane in Lambretta che sono stato – pensa ancora alla vita "larga", a quante cose ci può mettere, a partire da qui, a partire da questo quartiere di ambasciate. È fortunato. Siamo stati fortunati.

ANTONIO GRAMSCI, QUADERNO 11 (XVIII), 1932
CM 14,8X19,8 / PAGINE UTILIZZATE 147
APPUNTI PER UNA INTRODUZIONE E UN AVVIAMENTO ALLO STUDIO DELLA FILOSOFIA
E DELLA STORIA DELLA CULTURA

Sostiene Pereira: un ricordo di Arturo Toscanini
Gaia Servadio

Da sessant'anni (e più) vivo a Londra e da sessant'anni (e più) conosco l'Istituto Italiano di Cultura, è un vecchio amico. Ci entrai per la prima volta quand'era direttore Gabriele Baldini, letterato e musicologo molto simpatico. E coltissimo, grande shakespeariano. Con mia grande sorpresa sua moglie, Natalia Ginzburg, mi pescò in un angolo della sala – ero allora timidissima – e mi spiegò quanto le dispiacesse Londra e vivere a Londra; gli inglesi che non le piacevano perché erano (secondo me) troppo simili a lei, coloravano gli autobus e le cabine telefoniche di rosso perché Londra era una città senza colore.

Adesso di colore ce n'è anche troppo e difatti le cabine telefoniche rosse sono sparite e tutti guardano dentro ai loro telefonini che per gli inglesi sono un dono mandato dal Cielo, perché a loro comunque non piace guardare la gente in faccia.

Questa volta vado all'Istituto Italiano per la musica e precisamente per celebrare Arturo Toscanini, e abbiamo chiamato Alexander Pereira, sovrintendente del Teatro alla Scala, a parlarne. Dico all'ambasciatore Terracciano che per la cultura italiana tanto La Scala che Arturo Toscanini che Pereira sono istituzioni nazionali – io, lo devo aggiungere, sono comunque una patita della lirica – e difatti sarà proprio l'ambasciatore a presentarci; lui parla di Toscanini, uomo del popolo, genio della musica, eccentrico senza saperlo, persona retta che sbatté la porta della Scala in faccia ai fascisti, venne preso a botte dai picchiatori di Starace e lasciò Bayreuth quando il festival wagneriano mandava via quei direttori che erano ebrei.

A proposto, una storia vera: Hitler diede ordine di eliminare l'immagine – e la musica – di Mendelsson dal Reich. Anche dalla facciata del teatro dell'opera a Berlino. C'erano tutti, Rossini, Liszt, Brahms, Verdi, Mendelsshon, Wagner, Bellini… Ma la squadretta dei muratori non aveva un'idea chi fosse l'uno o l'altro; naturalmente non c'era un Google da consultare. Ma c'era Goebbels che ne sapeva quanto loro. Ma gli ordini di Hitler dovevano essere eseguiti immantinente: «Distruggete quello con il naso più grosso». Obbedirono. E dalla facciata sparì il busto di Wagner.

Quella mattina, in ambasciata, prima del dibattito all'Istituto, abbiamo parlato tra di noi e con il nuovo direttore artistico del Covent Garden, il problema (uno dei problemi) della lirica sono i registi, lanciai questa palla della discordia; non c'è più uno Strehler, o un Visconti o un Jean-Pierre Ponelle, se è per questo, e la scuola tedesca che va di moda, impone delle stravaganze che sono diventate convenzioni; abito contemporaneo, la Gestapo in ogni Anello dei Nibelunghi e dei cattivi che assomigliano a Stalin o a Hitler. Scarpia è Lenin, Violetta muore di AIDS e Gilda è una puttanella. Non parliamo dell'Aida dove "gli egizi" sono palestinesi così che non si capisce più niente. Si dimentica quanto Verdi e Wagner andavano predicando, e cioè che l'opera lirica è teatro.

Altro guaio della lirica contemporanea è la dizione, e non solo nei palati non-italiani (o francesi, difficilissimo cantare lirica in francese). Ci sono soprano sublimi ma non si capisce niente di quello che dicono, «Quello che canta lo sa solo lei» scriveva Donizetti in una lettera commentando la recita di un suo Elisir d'Amore (Donizetti era simpaticissimo).

Torniamo a Belgravia. All'Istituto va tutto bene e Pereira incarna la figura dell'alto borghese mitteleuropeo con facilità e nonchalance anche perché è un alto borghese mitteleuropeo che avremmo potuto incontrare a casa di Alma Mahler o al tè da Zemlinski.

Pochi giorni dopo, catapultata a Milano per lavoro, mi ficco dentro La Scala per un buon Simon Boccanegra diretta da Khun (meglio della versione di due anni addietro diretta sempre alla Scala da Barenboin, ma Barenboin e Verdi non si piacciono molto). Ma non migliore di quella diretta dal sublime Pappano al Covent Garden.

La sera dopo Sandro Veronesi, che avevo mancato a Londra, è a casa Feltrinelli dopo aver presentato Richard Ford, ormai innalzato sul piedestallo del "massimo scrittore"; uomo simpatico e carissimo – non Veronesi, Ford, ma anche Sandro Veronesi. Il mondo della letteratura è piccolo, si sta globalizzando, comunque ci conosciamo tutti.

Tornando a Toscanini, ecco l'esempio di una figura internazionale che pur avendo il vantaggio di parlare la lingua franca – la più franca di tutte e cioè la musica – e pur strillando e dando degli assassini ai membri dell'orchestra se non suonavano correttamente, si era conquistato l'amore del mondo. Il padre di Claudio Abbado, Michelangelo, violista e violinista, suonava per Toscanini; mi raccontava quanto il piccolo – di statura, solo di statura – Arturo fosse adorato dai suoi. «Più ci dava dei cretini, più gli stavamo dietro, perché voleva tirar fuori il nostro meglio, lo faceva per noi; e per la Musica».

Per l'Istituto ho gestito varie cose "musicali", una settimana verdiana per le celebrazioni; la mia biografia (anzi le mie biografie, ne ho scritte due) su Rossini me la presentò Antonio Pappano, che parla di musica – e di tutto – con una facilità e conoscenza stupenda e invidiabile. Si fece anche un concerto dei mini-lieder che Rossini aveva scritto in vecchiaia su versi di Metastasio, "Mi lagnerò tacendo". Era Rossini che si lamentava musicando.

ANTONIO GRAMSCI, QUADERNO 18 (-), 1934
CM 21,8X32,1 / PAGINE UTILIZZATE 3
NICCOLÒ MACCHIAVELLI. II°

Una immagine indimenticabile all'Istituto, immagine che si sfoca nella notte dei tempi, è il magnifico Mario Soldati che, benedetto da una mancanza di correttezza politica *ante litteram*, rispondeva a delle domande di tediose e instancabili sessantottine. «Cristo! Cazzarola! Non capisco niente della sua domanda, cerchi di parlare italiano... e poi non è una domanda la sua, è un discorso... cosa vuole che risponda a una domanda che non è una domanda e non ha neanche senso...»

Quante volte, nei panni di Soldati – ma senza quella verve e coraggio – mi sono tornate in mente le sue adorabili invettive, ed ho sempre sorriso.

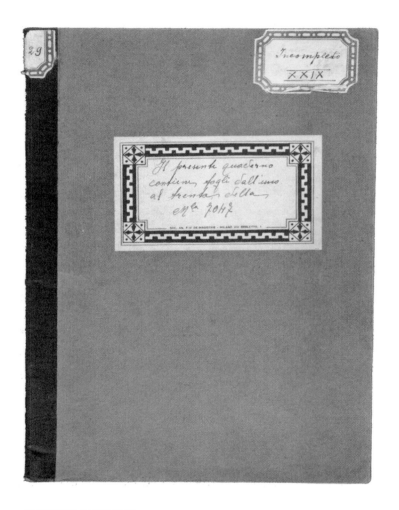

ANTONIO GRAMSCI, QUADERNO 12 (XXIV)
CM 21,8X31,2 / PAGINE UTILIZZATE 24
APPUNTI E NOTE SPARSE PER UN GRUPPO DI SAGGI SULLA STORIA DEGLI INTELLETTUALI E DELLA CULTURA IN ITALIA

Ping pong e cioccolato

Daniele Derossi

Fatta eccezione del ristorante messicano al fondo di Portobello Road, l'Istituto di Cultura Italiano è il luogo che frequento più spesso e con maggior piacere. Da quando Marco Delogu ne è diventato direttore, per me, come per molti altri italiani a Londra, l'Istituto è diventato un punto fisso nella geografia urbana e un appuntamento regolare sul calendario. All'Istituto ho ascoltato presentazioni di libri, visto proiezioni di film e documentari, ho partecipato alle serate sul teatro contemporaneo animate da Monica Capuani, ho sentito Hanif Kureishi parlare di Italo Svevo e Giorgio Agamben di Pulcinella, ho visto Marcello Magni trasformarsi in Arlecchino e Sonia Bergamasco diventare un convincente talpone e ho giocato a ping-pong. Sì, perché all'Istituto può anche succedere di partecipare a un torneo di ping-pong mentre nella stanza accanto Alessandro Scafi del Warburg Institute tiene un seminario sulla filosofia e la teologia nella Divina Commedia.

Forse proprio il ritmo serrato del ping-pong, più ancor che il tennis caro a Veronesi, illustra il susseguirsi, anzi il sovrapporsi, degli eventi promossi da Marco Delogu. Non a caso un tavolo da ping-pong fatto di libri è stato scelto come simbolo del primo Festival di Letteratura Italiana a Londra che ha trasformato per due giorni il teatro tardo vittoriano Coronet in un'arena di palleggio bilingue. Oltre alla qualità delle proposte culturali, quello che rende l'Istituto un luogo unico è lo stile conviviale con cui Marco accoglie i suoi ospiti. Ogni incontro è seguito da taralli e vino, se non da vere e proprie cene e da memorabili torte al cioccolato, e i partecipanti hanno così modo di discutere con i vecchi amici e incontrarne di nuovi. A uno di questi eventi io ad esempio ho conosciuto l'editore del mio prossimo libro. Il mio augurio e la mia speranza è che l'attività all'Istituto continui così: frenetica, conviviale, appassionante.

30

Completo
p.60
XXX

Il presente quaderno
contiene fogli numerati
dall'uno al trenta
della N.a 3047

SOC. AN. F.lli DE-MAGISTRIS — MILANO VIA ORIOLETTO, 7

ANTONIO GRAMSCI, QUADERNO 13 (XXX)
CM 21,8X31,2 / PAGINE UTILIZZATE 60
NOTERELLE SULLA POLITICA DEL MACCHIAVELLI

Mi viene in mente

Paolo Nelli

Quest'anno compio i miei vent'anni di Londra e posso dire semplicemente che sì, anch'io, inevitabilmente, ho vissuto, eppure, il più delle volte, non me ne sono accorto. E mi viene in mente Luca Carboni che, quando io a Londra c'ero arrivato da poco, in una canzone cantava «Certe volte ho paura di non cambiare più».

Le città hanno un loro respiro, vivono, cambiano. Una città sempre identica a se stessa è una città morta, uno scavo archeologico. E Londra, in questo, oggi, come da secoli, è particolarmente viva e la chiusura mentale a cui stiamo assistendo, il ritorno a un passato forse mai esistito, non può appartenergli. La snaturerebbe perché è nello scambio continuo con chi arriva che si è creata per quello che è. E mi viene in mente un documentario della BBC dove si diceva che l'artista Pietro Torrigiano, fiorentino, a una battuta irrisoria di Michelangelo, mentre copiavano gli affreschi del Masaccio nella cappella Brancacci, reagì scaricandogli un pugno sul naso. Da qui il naso rotto di Michelangelo che si può notare nei suoi ritratti, da qui l'esilio da Firenze imposto a Torrigiano, da qui la sua venuta a Londra dove scolpì il monumento funebre nella cappella di Westminster introducendo così, secondo lo storico dell'arte nel documentario della BBC, il rinascimento in Inghilterra. Tante sono le ragioni delle migrazioni. Tante sono le ragioni della Londra di oggi. Londra cambia con chi viene e chi viene cambia con Londra. È la realtà di ogni città. Per me la storia di ogni singola migrazione varrebbe un racconto.

Mentre scrivo mi viene in mente che qui, a Londra, io ho cambiato più case che biciclette. Quella con cui giro oggi è di certo migliore di quella recuperata al mio arrivo e, anche in questo, per dirne un'altra, ho assistito a un'altra delle trasformazioni di Londra, prima con i negozi indipendenti di biciclette che chiudevano non reggendo l'aumento forsennato degli affitti, lasciando spazio solo alle grosse catene, poi la rinascita, le vie ciclabili, le bici del comune e, ora, da casa mia (abito vicino a Shoreditch Park) posso raggiungere svariati negozi in pochi minuti, uno più fighetto dell'altro che, mentre aspetti, puoi bere una spremuta al bar o un caffè di una qualche torrefazione locale o una birra artigianale, con i dipendenti e gli avventori minuziosamente tatuati, cappello con visiera Bianchi in testa, modello vintage originale giro di Italia anni '70, con barbe lunghe e curatissime e tu, che la bici la usi da sempre, ora ti senti un po' fuori posto in quel regno a ruote griffate. Certe ruote, da sole, costano più della mia bici tutta intera, che pur è una bici del tutto accettabile.

All'Istituto Italiano di Cultura la bici la lascio di solito a un palo a pochi passi dalle scale di ingresso. Se il palo è già occupato, attraverso la strada verso la piazzola dove c'è il furgone della fiorista, e lì ci sono gli appositi parcheggi dove puoi legarla. Intorno i palazzi bianchi di questa Londra di ambasciate e di super ricchi. Una Londra di altri che un po' incute una soggezione danarosa e mi viene in mente la prima volta che quelle scale in stile neoclassico le ho salite, c'avevo l'ansia addosso quando ho visto che c'era da suonare un campanello per entrare all'Istituto, mi chiedevo pure se ero vestito in modo appropriato. In questo sono cambiato, ho più dimistichezza con posti differenti e posso adattarmi anche a quelli che non mi sono mai appartenuti e a cui, forse, non apparterrò mai. In ogni caso, senza tirare in ballo Pirandello, c'è uno scarto spesso incolmabile tra ciò che noi ci sentiamo e quello che gli altri vedono e pensano di noi.

Sono scale che adesso salgo con la familiarità di chi è di casa. L'Istituto è parte della Londra mia e dei tanti che come me, frequentandolo regolarmente, lo vivono e insieme lo rendono un posto vivo. Di eventi ne ho seguiti parecchi, nell'ultimo anno, ma all'istante mi vengono in mente i quaderni dal carcere di Gramsci. Incredibile quante persone e quanti inglesi erano presenti alla serata di apertura della mostra. C'è la coda per salire. Così torno un pomeriggio, con più calma, e osservo e leggo questa scrittura così ordinata, regolare, pulita. Anche nelle cancellature non c'è niente di fuori posto. Un uomo che non perde il suo contegno, se pur incarcerato. O una delle serate dedicate a Primo Levi, doveva essere maggio, si fa cenno anche alla depressione, e la sua biografa inglese racconta che lo scrittore le aveva detto di aver meditato il suicidio in gioventù, prima di Auschwitz, e lo ha meditato altre volte nel corso della sua vita, dopo Auschwitz, ma mai, neppure una volta, ha pensato al suicidio negli undici mesi passati a Auschwitz. È una cosa che ho trovato potente, profondissima eppure immediata.

Per tornare a casa non posso che passare per l'incrocio di Hyde Park Corner che è un mare in tempesta per chi si sposta in bici. Diverse strade vi convergono e ci vuole una certa avventatezza ad impossessarsi della corsia in direzione di Piccadilly con bus, taxi e auto che ti passano a destra e a sinistra. Quando arrivo al semaforo, se è rosso, appoggio il piede e tiro un sospiro di sollievo. Sulla destra, di spalle, nella piazza che è tutta un memoriale di guerra, proprio a ridosso della strada, un Davide di bronzo che nella posa e nella spada ricorda quello di Donatello, anche se il fisico perfetto è più robusto e, ogni volta che lo vedo, mi viene in mente l'epigrafe sul piedistallo che dice: «Saul hath slain his thousands but David his tens of thousands». Saul ne ha uccisi a migliaia ma Davide a decine di migliaia.

ANTONIO GRAMSCI, QUADERNO 14 (I), 1932-1935
CM 15X20,5 / PAGINE UTILIZZATE 81
MISCELLANEA

Un invito a Londra

Pietro Bartolo

Un invito a Londra. Ad inoltrarmelo Marco Delogu. Non lo conoscevo ma, oggi, posso dire di aver trovato un amico in lui. Non avevo mai avuto occasione di godere delle bellezze di quella città, di passeggiare lungo il Tamigi e confrontarmi con lo spirito affascinante e, forse, un po' schivo, così era nel mio immaginario, dei londinesi. Quale fortuna, poi, portare la mia testimonianza di "medico dei migranti" in una realtà così lontana da me e dalla mia terra, Lampedusa.

Già in aereo sentivo crescere in me tanta curiosità, accompagnata, non lo nego, da un certo timore. Ero preoccupato poiché di lì a poco avrei incontrato un uomo insigne nel suo ambito. Io un medico di trincea, lui un direttore di chiara fama. Sul taxi, diretto verso il centro, sentivo tali sensazioni crescere. Arrivato da lui, la mia ansia svanì in pochi istanti. Davanti a me un uomo colto ed umile. Un connubio così nobile.

Tra i più bei ricordi che conservo di quei giorni e che sempre custodirò nella mia memoria trova posto l'accoglienza che mi fu riservata. Offrire in modo totale se stessi e la propria casa ad uno sconosciuto fa tanto onore a chi ne è capace. Una stanza tutta per me in casa loro. Ogni giorno mi confronto con chi ha tanto bisogno di essere accolto. Per chi arriva in un Paese straniero o in casa d'altri sapere che qualcuno con tanta generosità è lì pronto a darti una mano è un'ancora preziosa. L'incontro con Marco ha impresso ancor di più in me una convinzione che da sempre cerco di tradurre in atti nel mio lavoro: essere disponibili per l'altro in ogni occasione ed in modo disinteressato.

Marco mi presentò subito sua moglie e suo figlio. Discutemmo tanto e di tante cose. Mi rivelò la sua passione per i cavalli e mi parlò di suo padre. Sì, Severino Delogu, medico che partecipò alla stesura della legge Basaglia,

FUOCOAMMARE, REGIA DI GIANFRANCO ROSI, DOCUMENTARIO, ITALIA, 2016 (106 MIN.)

sull'abolizione degli ospedali psichiatrici. La cosa mi colpì molto. Io avevo un fratello, disabile psichico, che dall'adolescenza fu, purtroppo, internato presso l'ospedale psichiatrico di Agrigento. Un vero lager di cui ho avuto modo di parlare nel mio libro *Lacrime di sale* che Marco ha voluto fortemente venisse presentato a Londra proprio in quell'occasione. Per me è stata una grande emozione scoprire che di fronte avevo il figlio di un grande uomo che, insieme a Basaglia, ha ridonato la libertà e la dignità a mio fratello e a tutte le persone costrette a vivere in condizioni disumane perché diverse.

Il giorno successivo all'arrivo avrei dovuto presentare il mio libro presso il Coronet Theatre. Salito sul taxi, attraversammo la città ed ebbi modo di apprezzare, anche se da lontano, il Big Ben ed il parlamento ai suoi piedi, Buckingham Palace e, lo ricordo ancora bene, un tranquillo prato verde disseminato di laghetti e gente che ne affollava le sponde. Purtroppo, le indicazioni date al taxista si rivelarono sbagliate. Dopo tanta strada scesi e licenziai il taxista. Di fronte, però, solo una struttura in disuso ed un clochard che aveva fatto dell'ingresso la sua casa. Era il vecchio Coronet. Tra lo stupore e il timore di arrivare in ritardo, freneticamente cercai un nuovo taxi che potesse accompagnarmi alla giusta destinazione. Arrivai in tempo e trovai un pubblico impaziente. Fu una bellissima serata.

L'indomani, il giorno della partenza, Marco mi portò a fare colazione in un piccolo bar dai tipici arredi. Più tardi, mi chiese di posare per lui per alcuni scatti. Tornammo a casa e mi condusse in una stanza che sembrava essere lo studio di un fotografo. Mi rivelò solo allora la sua passione per la fotografia e con tanto piacere posai per lui.

Conservo uno splendido ricordo di quei pochi ma intensi giorni londinesi. Ci siamo lasciati con la promessa di rivederci.

ANTONIO GRAMSCI, QUADERNO 15 (II), 1933
CM 15X20,5 / PAGINE UTILIZZATE 80
MISCELLANEA

Sul Festival of Italian Literature in London

Marco Mancassola

Siamo in otto, nove persone, intorno a un tavolo alla caffetteria al primo piano di un cinema storico vicino a Piccadilly, beviamo sidro, vino, acqua minerale. È la prima vera riunione, anche se con alcuni di loro si parlava già da tempo di fare squadra, progettare qualcosa, iniziare a connettere e attrarre energie, inquietudini, risorse disperse di una certa fetta di pensiero italiano a Londra.

Londra brulica di energie disperse. Città enorme nello spazio e nella mente, dove gli attraversamenti costano fatica, le connessioni sono instabili, gli incontri sono molti e interessanti ma effimeri. Saremmo rimasti dispersi anche noi, probabilmente, senza andare oltre a propositi vaghi, se non fosse venuta la Brexit.

La Brexit è la scossa, il catalizzatore che ci fa sentire ancora più instabili, più disarmati. La sfida del presente è di quelle che nessuno vince da solo, e lì nel caffè vicino a Piccadilly siamo d'accordo che reagiremo, nel nostro piccolo e coi nostri strumenti, con la forma di un festival letterario – una formula che in molti luoghi, negli ultimi anni, ha dimostrato una forza di straordinario aggregatore.

Quella sera intorno a noi la gente occupa tavoli, beve pinte liquide da bicchieri col vetro appannato, gioca col telefono, consuma pretenziosi piatti da *gastropub*, si alza per vedere un film in una delle sale, si incontra per la prima volta dopo essersi scelta su Tinder, parla in lingue sconosciute, appare e scompare, solo noi restiamo ostinati fino a tardi, a discutere fino a quando il locale è quasi vuoto.

Siamo in due persone, almeno all'inizio, alcuni giorni dopo, nell'ufficio del direttore dell'Istituto Italiano di Cultura. La luce soffice di Belgrave Square ci raggiunge dalla finestra. È un sollievo che Marco

Festival of Italian Literature in London

LOCANDINA PER L'EDIZIONE 2017 DI FILL - FESTIVAL OF ITALIAN LITERATURE IN LONDON

Delogu, il direttore, abbracci subito l'idea portante del festival, che non è tanto quella di portare una selezione di autori italiani a Londra: quello lo fa già superbamente, fra le sue tante attività, l'Istituto stesso.

Il festival avrà un'urgenza più fluida, transnazionale, di ricerca, un evento italo-londinese che metterà insieme ospiti dall'Italia, ospiti londinesi, britannici e internazionali, autori e giornalisti e testimoni e pensatori, voci riconosciute e altre più giovani e radicali. Userà Londra come una torre di vedetta per guardare ai movimenti del presente, parlerà di letteratura e di migrazioni, Italia, Europa, politica, traduzioni, distopie, generazioni, femminismo, città globale, di cosa il romanzo e la poesia abbiano da dire in tempi come questi. Sarà compatto, durerà per un fitto fine settimana, sarà in inglese e in italiano con traduzione in inglese, accessibile a tutti i londinesi: FILL, Festival of Italian Literature in London.

L'Istituto di Cultura rende possibile il progetto, diventando co-organizzatore, fornendo mezzi e aiutandoci a raccoglierne altri. Ha la lungimiranza di lasciare autonomia a noi del gruppo ideativo; la banda della caffetteria del cinema di Piccadilly, un gruppo volontario che si ingrossa via via fino a includere oltre una quindicina fra autori, accademici, traduttori, operatori editoriali, lavoratori della conoscenza, studenti, tutti italiani e abitanti stabili o instabili di questa città-rullo. Il risultato è un equilibrio fra istituzionale e progetto dal basso, un caso di collaborazione che sposa al meglio le risorse di entrambi.

Siamo in quattro-cinque, poco tempo dopo, quando andiamo a visitare il Coronet, il suggestivo teatro di Notting Hill, una vecchia sede vittoriana. Un labirinto di passaggi e corridoi unisce la sala del teatro

ZEROCALCARE ED IL PUBBLICO DEL FILL DURANTE UNO DEGLI INCONTRI TENUTI AL PRINT ROOM AT THE CORONET THEATRE, LONDRA, 2017

principale, quella dove si esibì Sarah Bernhardt e in cui un secolo dopo fu ambientata la scena al cinema di *Notting Hill*, a uno spazio-studio dalle pareti nere e ad un bar illuminato da candele, dove un vecchio pianoforte funge da bancone. Atmosfera palpabile. Un luogo dal calore immediato. Sediamo con Anda Winters, la direttrice della compagnia che gestisce il teatro, e acconsente a ospitare il festival.

Procede così, durante l'estate, il sommarsi di un pezzo di festival dopo l'altro, la definizione del programma, della grafica, il reperimento di partner e sponsor, il lavoro stampa, il lavoro in rete e sui social media, il passaparola con università e associazioni, le esigenze tecniche e logistiche. A volte ogni cosa sembra comporsi con grazia e docilità, altre volte sembra tutto sull'orlo di sfaldarsi. Fino a pochi giorni dal festival non sappiamo se riusciremo a coprire per intero il budget.

Ma siamo in centinaia, una settimana prima del festival, alla festa di finanziamento organizzata nello spazio di Donna Fugassa a Dalston. Ci aspettavamo cento persone, se ne presentano il quintuplo, occupano per intero la piazza antistante, sorseggiando birra nella sera tiepida e ascoltando la musica dei dj che tracima dalle porte del locale.

Siamo in più di duecento, il mattino del 21 ottobre, all'evento speciale d'apertura all'Istituto, e poi, al Coronet, fra il resto di quella giornata e la giornata successiva, almeno in milletrecento. Tutti i dodici eventi del programma sono andati *sold out* da giorni. Una folla italiana e multilingue, giovane e multi-età fluisce attraverso il foyer del Coronet, assiste agli eventi, si ferma nel bar per un bicchiere o per farsi firmare una copia da un autore, per continuare a discutere, ascoltare musica o comprare dal banco-libreria.

Anche quando siamo impegnati altrove, ad accogliere altri ospiti o giornalisti o spettatori, abbiamo un immediato resoconto di come stia andando ciascun incontro grazie ai membri della squadra presenti in sala, che postano commenti sul nostro gruppo Whatsapp e riportano frasi significative pronunciate sul palco.

C'è l'emozione provocata da Pietro Bartolo, autore e medico di Lampedusa, mentre racconta del lavoro con i migranti nel Mediterraneo. La sala ascolta con intensità. È uno di quei momenti in cui qualcosa si ferma, nell'orologio interiore di ognuno, per lasciare spazio a una partecipazione profonda.

E poi il dibattito vivace a *Italian Politics for Dummies*, con Christian Raimo e il politologo Jonathan Hopkin. Iain Sinclair che discute del presente e futuro di Londra con Andrea Lissoni della Tate Gallery. La performance di poesia a più lingue e più voci, produzione originale del festival, e la serrata sessione su *The present is female*. Helena Janeczeck e Lauren Elkin che si confrontano su *Citizens of Nowhere?*, titolo mutuato da una famigerata frase di Theresa May. Giancarlo De Cataldo e Hanif Kureishi che conversano di serialità televisiva. *The secret history of Italian (and British) music*, e gli altri incontri del programma, e il fumettista Zerocalcare che resta quasi due ore, dopo il suo incontro, a firmare e disegnare per i suoi lettori.

Da una mezza decina di grandi città estere, finora, ci è stata chiesta una consulenza per una possibile versione locale di FILL. Il nostro punto principale è che il festival è nato dal basso, contro ogni previsione, in una città dispersiva e in un tempo dispersivo. La capacità di creare connessioni è la risorsa e la palestra continua di FILL – che si tratti di trovarsi in due o in compagnia di oltre mille spettatori, in modalità collaborative ogni volta diverse. L'esperienza del festival si fonda sulle persone del gruppo ideativo-organizzativo, la squadra dell'Istituto Italiano di Cultura a Londra, quella di Printroom al Coronet, i partner e sponsor, la rete allargata di amici e consulenti – italiani e non, londinesi e non – che fornisce aiuto e consigli, le persone che sono venute alla prima edizione e che si spera torneranno.

La prima edizione, ovvero FILL 2017, ha vinto anche la scommessa di riuscire a sostenersi, e il festival ha potuto fare una piccola offerta a una fondazione per le vittime della Grenfell Tower, che bruciò a poca distanza da Notting Hill. Mentre scrivo, stiamo chiudendo il programma per FILL 2018.

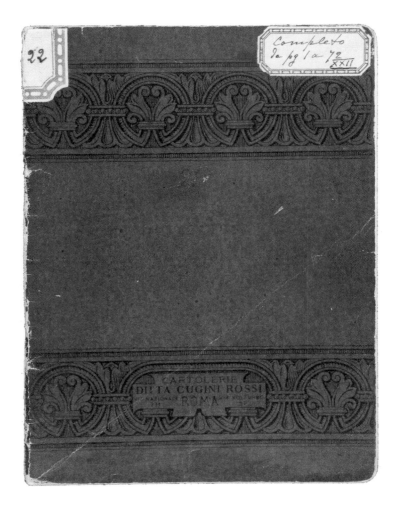

ANTONIO GRAMSCI, QUADERNO 16 (XXII), 1932-1934
CM 15X20,5 / PAGINE UTILIZZATE 71
ARGOMENTO DI CULTURA. 1°

Il racconto dell'Elfo

Elio De Capitani

A Londra per *Contemporary #9* all'Istituto Italiano di Cultura. Ci siamo presi qualche giorno d'anticipo – Monica Capuani, mia moglie Cristina Crippa ed io – per andare a teatro.

Londra è bella, è un gran piacere andarci ogni tanto, ma è la quantità dei teatri e la densità degli spettacoli che ti capita di vedere in pochi giorni che trasforma ogni volta l'esperienza del tuo soggiorno. Invidio Monica che ci va con frequenza. E bello è andarci con lei che è di casa e aiuta un'attitudine comune a tutti e tre: l'immergerci negli spettacoli da semplici spettatori, ricercando tenacemente quella sospensione d'ogni incredulità, condizione necessaria (ma non sufficiente, *of course*) per far agire la *mousetrap*, come la chiama Hamlet.

In fondo, ci dicevamo con Monica, il teatro per noi è una sostanza psicotropa e venire a vedere teatro a Londra ci ha sempre dato questa sensazione d'espandere il respiro della mente, di sentir correre libero il pensiero. "Allargare l'area della coscienza" era il mantra di Ginsberg e della beat generation, e le nostre droghe per viaggiare negli stati alterati della mente sono i libri, la musica, l'arte, ma soprattutto il teatro.

Quei pochi giorni Cris e io li abbiamo dedicati a esplorare a fondo un quartiere – questa volta è toccato al Royal Borough of Kensington and Chelsea, snobbato nei precedenti viaggi. Ma soprattutto per passare tre sere nel West End, a teatro. Primo spettacolo visto il super premiato *Oslo* di J.T. Rogers, giunto di fresco dagli USA, e la sera dopo *The Ferryman* di Jez Butterworth, emigrato al Gielgud dopo il grande successo in stagione al Royal Court. Non siamo invece riusciti ad entrare alla prima di *Heinsenberg* di Simon Stephens, peccato, era una bella coincidenza: in compenso è venuto lui a trovarci a Milano questo giugno, facendo un salto all'Elfo alle prove di

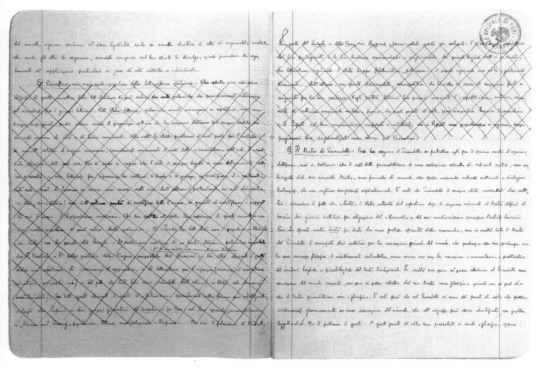

The Great Game – Afghanistan. E magari tornerà in autunno, quando metteremo in scena il suo adattamento di *The Curious Incident of a Dog in the Night-Time*. Non ci siamo invece fatti scappare *Apologia* di Alexi Kaye Campbell, che era presente quel giorno in sala all'Istituto, Monica ce lo ha presentato. In occasione della prima lettura in versione italiana dello stesso testo a Brescia, Alexi è venuto trovarci in teatro a Milano assieme al suo compagno Dominic Cooke, direttore associato del National Theatre dal 2013, dopo i sette magnifici anni di direzione al Royal Court.

Questo era il prologo dell'appuntamento all'Istituto Italiano di Cultura, che avrebbe avuto luogo a Belgrave Square, nel bell'edificio dell'Istituto, con annessa l'invidiabile residenza, molto inglese, del direttore, dove infatti Marco Delogu ci ha accolto nel clima del "parliamo piano" delle famiglie che ruotano attorno a un neonato in pieno pisolino. Bello, tutto l'Istituto ma per un *digital addict* come me, splendida la saletta attrezzatissima al pianterreno.

Il teatro inglese era tra i temi della serata, che aveva in menu un incontro tra il sottoscritto e Mark Ravenhill, autore amato e stimato – di cui il nostro Teatro dell'Elfo ha messo in scena *Some Explicits Polaroid, Shopping and Fucking* e *The Handbag*, il primo con la regia mia, il secondo con regia di Bruni e il terzo a quattro mani. Abbiamo inoltre ospitato nel nostro festival Milano Oltre *The product*, con Mark in veste non solo d'autore ma anche d'attore. Numerosi i suoi lavori portati all'Elfo da attori e registi ospiti, tra cui posso citare ad esempio Carlo Cecchi e Fabrizio Arcuri.

Dico subito che dell'appuntamento all'IIC ricordo con particolare piacere un salto nel teatro vivo, un momento improvvisato e inatteso, ad un certo punto della serata: *Lear* di Edward Bond a due voci con Mark Ravenhill. Ma ne parlerò più avanti. Andiamo con ordine. L'incontro è partito bene e fluiva, mi pareva stesse riuscendo davvero bene, nonostante l'arduo compito di parlare – tradotti in simultanea – di tante cose in un tempo ragionevole. Dopo la bella introduzione non formale di Delogu, Monica Capuani tesseva la trama, lasciando a me il filo del racconto. Il mio lavoro al Teatro dell'Elfo sulla drammaturgia contemporanea inglese è lungo, è cominciato nel 1982 con *Class Enemy* di Nigel Williams – la mia prima regia – passando per le due tappe fondamentali di Sarah Kane (*Blasted*) e Mark Ravenhill (*Some Explicit Polaroids*) a cavallo del millennio, e continua negli anni attuali, con nuovi autori come Simon Stephens.

Era semplice e molto piacevole raccontare quelle splendide avventure, ma meno semplice era raccontare la pur appassionata storia di una mia felice e duplice intuizione, direi la mia vocazione esplosa tra fine anni Settanta e primi anni Ottanta, non ancora trentenne: a partire proprio dalla realtà, di cui abbiamo tra l'altro parlato a lungo con Delogu, di quei difficili anni, di quel momento politico davvero plumbeo nella storia del nostro paese. Allora urgeva in me la voglia, o meglio la necessità, di connettere il teatro, che pareva stare su un pianeta tutto suo, alla vita degli anni attuali, che vivevamo con sgomento. Occorreva cambiare il clima culturale nel teatro italiano — in palcoscenico ma anche in platea.

Prima di tutto, certo, portando la drammaturgia più viva degli autori contemporanei, ma – e questa è stata la carta vincente – mettendo a contatto quella drammaturgia con una visione del teatro, della regia, dell'attore e dello spazio scenico, una visione originale e assolutamente tutta italiana, che perseguivo con tenacia. All'inizio è stata un visione mia personale, ma poi è divenuta di tutto l'Elfo, e tutta la mia vita d'artista non può prescindere dal mio lavoro all'Elfo, dal lavoro di costruzione di un teatro d'arte, durato quasi cinquant'anni, operato dal più importante collettivo d'artisti del teatro italiano, nato come piccolo gruppo di attori, non ancora ventenni, e cresciuto fino a venire riconosciuto nel 2018 tra i primi tre teatri per qualità a livello nazionale e, tra questi, unico teatro indipendente e autogestito in forma di cooperativa. Non era stato facile farlo, quel lavoro, e non era facile per me quella sera raccontare, trasmettere tutto questo.

Raccontare di come, nella prima metà degli anni Settanta, nel teatro italiano – il dibattito acceso in atto tra gli addetti ai lavori verteva tra teatro tradizionale e teatro di ricerca contrapposti – come se non ci fosse altro – mentre una strada diversa c'era. Pareva si fosse del tutto spezzato il filo, il necessario legame culturale, il rapporto con gli autori contemporanei fondamentali per il teatro del novecento, europeo e non solo. Per riannodarlo, quel filo, non bastava appunto mettere in scena alcuni di questi autori significativi, bisognava soprattutto costruire un nuovo pubblico che li sostenesse e li facesse suoi: occorreva, per far questo, riuscire ad ogni costo e in ogni spettacolo, a creare un'aura nuova alla drammaturgia contemporanea e affermarne, attraverso questa, una nuova forza.

Mentre Mark ci raccontava in diretta di quel che accadeva in Inghilterra soprattutto a partire dai primi anni Novanta, quella sera a Londra ho provato a restituire la forza di quegli stessi spettacoli in Italia, e dove capivo di non poter arrivare con le parole mi aiutavo con alcune clip video degli spettacoli citati. Bellissime clip, per fortuna. Persino un frammento di *Class Enemy* di una ripresa video che temevamo perduta, con Paolo Rossi, Claudio Bisio e il sottoscritto giovanissimi. Assai toccante – mi è parso anche per l'autore – il frammento della terribile scena dell'ospedale di *Some Explicit Polaroids* con Cristian Gianmarini, Marina Remi e Damir Todorovic, purtroppo scomparso a soli quarant'anni nel 2014. Un fortissimo impatto sulla platea, ma anche su di me, lo hanno avuto le tre clip di *Blasted* di Sarah Kane, con una coppia formidabile di attori: Elena Russo Arman e Paolo Pierobon, all'Elfo per l'ultima volta, prima dell'incontro con Luca Ronconi e del suo successo come star della compagnia del Piccolo Teatro.

L'ultimo frammento di video era della nostra versione di *Angels in America* di Tony Kushner, regia firmata a quattro mani con Ferdinando Bruni. Il testo, tra l'altro, era stato appena ripreso con grandissimo successo al National Theatre, le repliche erano terminate il 19 agosto 2017. Era un'altra scena d'ospedale tra Cristina Crippa (Ethel Rosenberg), il sottoscritto (Roy Cohn) e Fabrizio Matteini (Belize), che per pura coincidenza si è trasferito da due anni a Londra, era in sala ed è stato applaudito insieme a noi. Ci siamo ricordati delle lacrime dell'ultima splendida maratona delle due parti di *Angels* cinque anni prima a Madrid, il 10 giugno del 2012. I sette anni di repliche di quello spettacolo sono stati un'esperienza davvero unica.

Ma intanto, mentre andavano i video, pur efficacissimi, mi ronzava in testa l'idea di recitare alcuni brevissimi frammenti del *Lear* di Bond, che avevo appena finito di interpretare all'Elfo. Bond è, in fondo, il padre putativo degli autori inglesi esplosi nei primi anni novanta come Ravenhill e la Kane, ci tenevo a fargli un omaggio, ma non aveva senso la traduzione simultanea e neppure far leggere all'interprete il testo originale. Allora l'ho chiesto a Ravenhill.

«So che ami Bond e mi farebbe piacere che i brani che sto per recitare li leggessi tu in originale, Mark». Ha accettato all'istante. Non lo avevo avvertito prima semplicemente perché quell'idea non mi aveva neppure sfiorato.

E così quella sera abbiamo sentito una lettura estremamente consapevole ed efficace delle parole di *Lear* lette da Mark – è stato davvero bravo – e poi

DANIELE MOLAJOLI E FLAVIO SCOLLO NORCIA, DALLA SERIE DISTRUZIONE E RICOSTRUZIONE, 2016

DANIELE MOLAJOLI E FLAVIO SCOLLO STRADA PER CASTELLUCCIO DI NORCIA, DALLA SERIE DISTRUZIONE E RICOSTRUZIONE, 2016

quelle stesse parole recitate da me in italiano. Avevo appena recitato *Lear* per la regia – e drammaturgia - di Lisa Natoli e mi era risultato sempre più evidente, sera dopo sera, che in Bond risuonasse un eco di Büchner, soprattutto del suo *Danton*. Quelle parole erano sintesi di tante cose per me significative. Una frase in particolare è brillata quella sera più di ogni altra: Mark/Lear: «I know it will end. Everything passes, even the waste. The fools will be silent. We won't chain ourselves to the dead, or send our children to school in the graveyard. The torturers and ministers and priests will lose their office. And we'll pass each other in the street without shuddering at what we've done to each other».

Elio/Lear: «Finirà. So che finirà. Passa tutto, anche lo spreco. I pazzi faranno silenzio. Non ci incateneremo ai morti, né manderemo più i nostri figli a scuola nei cimiteri. Torturatori, ministri e preti perderanno i loro incarichi. E noi ci incroceremo per strada senza rabbrividire al pensiero di quello che ci siamo fatti».

Ora sto scrivendo questa nota da Siracusa, davanti ho un mare splendido, Ortigia alla mia destra, tra le mani il nuovo testo Ravenhill, *The Cane*, di cui ci aveva parlato Mark quella sera, durante la cena a cui Delogu ci aveva invitato, il necessario e disteso momento conviviale. Sono nella sospensione estiva, prima di tutto quel teatro che deve accadere il prossimo anno. Monica Capuani invece è di nuovo a Londra, a teatro. Monica mi ha appena chiamato da Londra, sta preparando la nuova stagione di *Contemporary* – Ferdinando Bruni, l'altro pezzo di direzione artistica dell'Elfo, sarà il primo appuntamento – e a fine agosto ci sarà la prima edizione dell'Italian Theatre Festival in teatro, al Printroom at the Coronet... Saremo di nuovo a Londra, allora. Del resto un bel pezzo della nostra prossima stagione, all'Elfo, è inglese. Da Shakespeare a Simon Stephens, passando per Oscar Wilde e Mary Shelley.

ANTONIO GRAMSCI, QUADERNO 17 (IV), 1933-1935
CM 15X20,6 / PAGINE UTILIZZATE 43
MISCELLANEA

Contemporary

Monica Capuani

Ho conosciuto Marco Delogu molti anni fa a Roma. Avevo partecipato al memorabile workshop che Annie Girardot tenne all'Argot Studio, uno spazio che Marco aveva contribuito a fondare e che, in seguito, sarebbe diventato un teatro, attivo ancora oggi. Tempo dopo ci è capitato di firmare insieme un paio di pezzi per qualche rivista, lui in veste di fotografo, io di giornalista. Dopo quasi vent'anni di professione freelance, e dopo aver tradotto una settantina di romanzi dall'inglese e dal francese, ho deciso di dedicarmi completamente al teatro. Oggi sono una scout, vado cioè in cerca di testi teatrali, per lo più inglesi (perché sono una grandissima fan della loro drammaturgia contemporanea), li traduco a mio rischio, e cerco di suscitarne delle produzioni in Italia. Marco mi ha proposto di trasformare questo percorso in una strada a doppio senso. "Perché non porti all'Istituto il teatro italiano?". Mi ha dato totale libertà di scelta e mi ha chiesto soltanto una cosa: di cercare di coinvolgere anche il mondo del teatro inglese, di mettere attori, registi, drammaturghi dei due paesi (e anche, perché no, di altri) in comunicazione, di creare un dialogo. È nata così, all'inizio del 2017, la serie *Contemporary*.

Il primo ospite è stato Fabrizio Gifuni. Ha voluto portare a Londra il suo amore e la sua lunga consuetudine con Carlo Emilio Gadda e *Quer pasticciaccio brutto de via Merulana*, la sua lingua acrobatica, magmatica, eccezionale. Abbiamo intervallato la lettura dei brani scelti da Fabrizio a una lunga intervista, in cui ha raccontato al pubblico, italiano e inglese, la sua carriera di interprete ma anche di attore-ricercatore attento, che indaga i suoi autori del cuore (un altro suo amore è Pasolini) e li porta con sé e su di sé in palcoscenico.

Pippo Del Bono ha raccontato il suo teatro-vita e la creazione della sua originalissima compagnia-famiglia, con un'incantevole capacità affabulatoria che è già teatro. Ha regalato al pubblico la memoria degli incontri che hanno creato, un pezzo umano dopo l'altro, il gruppo con cui vive/lavora. Pepe Robledo, incontrato in Danimarca all'Odin Theatre ed esule dalla dittatura argentina. Bobò, l'omino microcefalo sordomuto che è stato rinchiuso 45 anni nel manicomio di Aversa. Il Signor Nelson, un barbone conosciuto a Napoli, bollato da una diagnosi di schizofrenico. E tutti gli altri. Gli spettacoli di Pippo sono carne e sangue di questa umanità ferita e reietta.

Iaia Forte è venuta a raccontare una carriera ricca e irregolare, anticonformista e solare com'è lei. Ha condiviso con il pubblico la fascinazione per la lingua del romanzo di Paolo Sorrentino, *Hanno tutti ragione*, e la voglia di portare in teatro quel Tony Pagoda, cantante di night filosofo del buon senso che va a esibirsi al Radio City Music Hall davanti a un Frank Sinatra distrutto dall'alcol. A leggere nella traduzione inglese gli stessi pezzi letti da Iaia in quel napoletano denso di carattere e di colori ho chiamato Branka Katic, un'attrice serba (era in *Gatto nero, gatto bianco* di Emir Kusturica) che vive e recita anche a Londra e che con un accento vagamente levantino richiamava le sfumature meridionali dell'italiano del regista de *La grande bellezza*.

Primo drammaturgo italiano presente a *Contemporary*: Lucia Calamaro. Il suo *L'origine del mondo* ha stregato chi non credeva più che in Italia fosse possibile una drammaturgia di qualità. I francesi l'hanno omaggiata al Festival d'Automne e pensavo che anche a Londra, culla della drammaturgia contemporanea, dovessimo far sentire la sua voce. Lucia è anche un'ottima attrice e ha letto estratti di *Origine* che la traduzione inglese, realizzata grazie agli sforzi dell'Italian Playwrights Project creato a New York da Valeria Orani, ci ha consentito di far interpretare a Haydn Gwynne, meravigliosa attrice inglese che – tra i tanti ruoli – è stata Margaret Thatcher accanto a Helen Mirren quando ha portato in teatro la sua versione della Regina Elisabetta in *The Audience* di Peter Morgan.

Approfittando della presenza in Inghilterra di Ann Goldstein, la traduttrice americana di Elena Ferrante, abbiamo dedicato una serata a *L'amica geniale*, che gli inglesi hanno già adattato per la scena, invitando Melly Still, regista della produzione del Rose Theatre Kingston, e Monica Dolan, l'attrice che ha interpretato Lenù nella versione radiofonica della BBC.

Poi è stata la volta di Lella Costa, con la vitalità travolgente di una mattatrice che da anni, spesso in solitaria, riempie i teatri italiani. Si è raccontata con una simpatia che ha subito conquistato il pubblico e ha letto dei monologhi da *Human*, lo spettacolo con cui era in tournée con Marco Baliani. Con lei hanno dialogato Omar Elerian, regista e associate director del Bush Theatre, e Nassim Soleimanpour, il drammaturgo iraniano che in quei giorni era al Bush a provare il suo nuovo testo. Lella è stata una delle prime interpreti che in Italia hanno avuto il coraggio di salire sul palco, senza rete, a leggere *White Rabbit Red Rabbit*, il testo di Nassim che un attore legge la sera stessa ricevendo il testo in busta chiusa quando sale sul palco, e che ancora oggi continua a girare il mondo.

Massimo Popolizio è venuto insieme a Emanuele Trevi (che racconta in questa pubblicazione il suo ricordo di quella serata) a parlare del loro *Ragazzi di vita*, un adattamento del romanzo di Pierpaolo Pasolini per una ventina di attori, prodotto dal Teatro di Roma, che poi è valso a Popolizio il premio Ubu per la regia. Quella sera abbiamo affrontato il tema affascinante delle trasposizioni teatrali dai romanzi, che spesso approdano in palcoscenico, ma che esigono – come ha spiegato Trevi – un "mestiere" di estrema e invisibile precisione. Trevi è stato anche autore di un esperimento teatrale intitolato *Karenina* per Sonia Bergamasco, che è arrivata a Londra a stretto giro per una serata in onore di Primo Levi, di cui cadeva il trentennale della morte.

Una scelta di testi, molto vari, sono stati proposti dalla Bergamasco in italiano e da Lucy Russell (il suo fu un esordio folgorante: protagonista de *La Nobildonna e il duca* di Eric Rohmer) in inglese, con un indimenticabile duetto finale nelle due lingue nell'esilarante intervista di una giornalista (inglese, nel nostro caso) a una talpa in *Naso contro naso*.

Altra serata emozionante è stata quella che ha visto protagonista una delle figure più straordinarie del nostro teatro, Elio De Capitani: regista, attore, co-fondatore del Teatro dell'Elfo, unica realtà che, con una compagnia stabile, da quasi quarantacinque anni ha educato Milano (e l'Italia che va a vedere i loro spettacoli in tournée) alla drammaturgia contemporanea. A dialogare con lui Mark Ravenhill, di cui l'Elfo ha messo in scena nel corso degli anni vari testi (e anche di De Capitani, qui, c'è il racconto di quella serata).

Poi quasi allo scadere del 2017, abbiamo tentato un primo esperimento fuori dall'Istituto, avventurandoci in un teatro, con la complicità di Anda Winters e del suo Printroom at the Coronet, a Notting Hill. Ho invitato Antonio Latella, che oggi è uno dei grandi registi indiscussi della scena teatrale italiana, e direttore artistico della Biennale Teatro di Venezia. Abbiamo proposto al pubblico di Londra *Ma*, spettacolo che Linda Dalisi ha concepito insieme a Latella sulle donne nella vita e nella poetica di Pasolini, a partire dalla madre fino alle grandi protagoniste dei suoi scritti e del suo cinema. L'interpretazione estrema e coraggiosa di Candida Nieri ha lasciato il segno nel cuore del pubblico del festival internazionale in cui Anda Winters aveva inserito la serata. L'incontro di *Contemporary* con Latella e la Nieri si è svolto sul palco subito dopo lo spettacolo. È incredibile come il teatro, anche quando ci si riflette su, tenda naturalmente al palcoscenico, perché è il palcoscenico la sua casa. E il teatro di Anda, il Printroom at the Coronet, è una casa molto calda, accogliente. E sicuramente sarà la nostra "casa inglese" fuori dall'Istituto quando il teatro invocherà – con forza – la scena.

ANTONIO GRAMSCI, QUADERNO 18 (-), 1934
CM 21,8X32,1 / PAGINE UTILIZZATE 3
NICCOLÒ MACCHIAVELLI. IIª

Mia moglie Filomena

Enrico Caria

Mia moglie Filomena è napoletana ma non lo dimostra.

Tanto per cominciare si fa chiamare Nuccia, poi è bionda e ha la erre moscia. Ma dove i suoi natali diventano davvero insospettabili è alla prova del cuoco, basta vedere cosa sa cucinare e cosa no: pizza al pomodoro no, uova fritte col bacon sì, pasta e fagioli no, roast beef con horseradish sauce sì. Vabbè, ma essendo di vico san Guido a Posillipo come se la cava coi piatti di pesce? Le sa cucinare past'e vvongole, 'o sarago all'acqua pazza, 'a 'mpepat'e cozze? Macché, quella sciagurata adora il salmone affumicato, le anguille e il fish and chips servito dentro a cartocci tipo take away! In quanto al dessert, babbà e sfogliatelle li schifa proprio, e va pazza per Yorkshire pudding, rhubarb crumble, muffins e plum cakes.

Questo perché Filomena, al secolo Nuccia, appena maggiorenne, mise due cose in una piccola valigia e da Napoli si trasferì a Londra dove personalmente non conosceva ancora nessuno, ma sin da bambina sapeva tutto sulla swinging London e viveva nel mito di Twiggy, i Beatles, il British cinema, Carnaby Street...

E così, dopo tanti anni a Londra, non solo Nuccia dimenticò la cucina di mammà, ma a momenti pure il bell'idioma. Tanto che quando la conobbi, a Roma dov'era di passaggio, per abbordarla dovetti far ricorso al mio inglese scolastico, al tempo però più che discreto. Al tempo. Oggi parecchio arrugginito. Ma anche per colpa sua.

Quando torniamo a Londra infatti, io posso sempre contare sul suo ottimo servizio di traduzione simultanea, guida turistica e mediazione culturale. E in quanto ai rapporti con la popolazione indigena, quelli restano nella rassicurante cerchia dei suoi amici che masticano un discreto italiano e con me colgono l'occasione per migliorarlo.

L'UOMO CHE NON CAMBIÒ LA STORIA, REGIA DI ENRICO CARIA, DOCUMENTARIO, ITALIA, 2016 (77MIN.)

Conclusione: oggi il mio buon vecchio inglese scolastico fa veramente schifo.

Eppure, vuoi per orgoglio vuoi per vanità, in tutti questi anni ho continuato con Nuccia a millantare, andando con lei a vedere film in inglese senza capirci un accidente, abbonandomi al New Yorker per leggere solo le vignette e navigando sul sito del Guardian guardando solo le figure.

Ma 'sta volta c'è poco da bluffare.

'Sta volta si va a Londra a presentare il mio *docuthriller* su Ranuccio Bianchi Bandinelli all'Istituto di cultura e dopo la proiezione ci sarà... il dibattito.

In lingua inglese.

Sono a un bivio: se chiedo un interprete, con mia moglie getto la maschera e ci faccio una figura di niente; se invece mi lancio a parlare in inglese, la figuraccia ce la faccio quadrupla: con mia moglie Filomena, col direttore Marco Delogu, con l'ambasciatore Terracciano e, *ca va sans dire*, col pubblico.

Ma eccoci al momento della verità.

La sala è piena, dopo breve presentazione dei padroni di casa io me la cavo con uno striminzito *see you later...* e mentre la proiezione scorre, non mi resta che sperare che il film non piaccia, la gente se ne vada e il dibattito vada deserto. Invece, per mia sfortuna il documentario suscita un certo interesse e a fine titoli di coda, le luci si riaccendono e quelli stanno ancora tutti là.

A quel punto l'interprete, che ancora non ha capito se la voglio o no, mi si avvicina con la cuffietta e io, che incrocio lo sguardo di Nuccia seduta lì in prima fila, mi sento pronunciare un *no thanks* e la frittata è fatta.

L'UOMO CHE NON CAMBIÒ LA STORIA, REGIA DI ENRICO CARIA, DOCUMENTARIO, ITALIA, 2016 (77MIN.)

Madido di sudore, mi pongo in attesa della prima domanda in inglese come Maria Maddalena in quella della prima pietra... ma a rompere il ghiaccio è invece Marco Delogu che scopro essere non solo buon conoscitore di storia e preparatissimo sul tema del documentario, ma anche conferenziere colto, inesauribile e soprattutto instancabile.

È questa è la mia fortuna. A quel punto, con un paio di impercettibili passetti di lato, mi allontano dal centro dell'inquadratura quel tanto che basta per incoraggiarlo a continuare. E quando dal pubblico, già abbondantemente appagato dalle sue appassionate conclusioni, mi arrivano un paio di domande in lingua, sono facili facili e io rispondo con brevi frasi generiche che mi sono preparato ad hoc. Per subito ripassare la palla a Marco che ben volentieri la raccoglie...

A questa ricostruzione semiseria della bella serata presso l'Istituto di Cultura Italiano a Londra sento il dovere di aggiungere: grazie. Al direttore Delogu che ha invitato il mio *docuthriller*, a Pasquale e Karen Terracciano che ci hanno ospitato nella meravigliosa residenza dell'Ambasciata e al pubblico che è *realmente* accorso assai numeroso e, a quanto pare, ha *realmente* apprezzato il film.

In quanto al resto, ok il mio inglese non sarà *fluent* come quello di Filomena, ma come cucino io *pasta 'e vvongole*...

ANTONIO GRAMSCI, QUADERNO 19 (X), 1934-1935
CM 14,8X19,5 / PAGINE UTILIZZATE 133
RISORGIMENTO ITALIANO

The Original Dixieland Jazz Band di Nick La Rocca

Michele Cinque

Arrivo a Londra 98 anni dopo la Original Dixieland Jazz Band di Nick La Rocca per presentare il mio ultimo film, *Sicily Jass*, che racconta la vicenda umana del cornettista di origini siciliane, che nel 1917 ha inciso il primo disco della storia del Jazz per la Victor. Esattamente un secolo fa: quel disco si chiamava *Livery Stable Blues* e vendette oltre un milione di copie negli Stati Uniti. La Original Dixieland Jazz o Jass band, è stata una delle prime band ad attraversare l'oceano per fare un tour in Inghilterra, all'epoca erano la band più pagata al mondo e a Londra hanno suonato davanti a Re Giorgio V, per il famoso Armistice Ball, che ha celebrato la fine della prima guerra mondiale. Un'eredità importante quanto dimenticata nella storiografia ufficiale del Jazz.

Londra arriva dopo un tour mondiale. Sono passato per New York, Algeri, Amsterdam, Berlino e dopo Londra sarà la volta del Giappone. Grazie all'invito del direttore dell'Istituto, Marco Delogu, arrivo a Londra in una fredda giornata di novembre e camminando per i dintorni di Belgrave Square, notando le facoltose case, le auto di lusso parcheggiate lì di fronte, mi chiedo cosa deve essere venuto in mente alla band di La Rocca quasi un secolo fa. Deve essere stato lampante il contrasto tra la loro New Orleans di inizio secolo e la Londra imperiale di Giorgio V, si saranno sentiti spaesati, loro abituati ai locali di *gangster* di Chicago, loro che suonavano la musica dei bassifondi dell'America di Wilson, solo qualche anno prima dell'avvento del proibizionismo. La band, che la stampa inglese dopo i primi concerti aveva apostrofato «*The fearful wildfowl, who call themself the Original Dixieland Jass Band...*», suonava la musica che i critici poi hanno riconosciuto come la colonna sonora della prima guerra mondiale. La Rocca ad approdare a Londra si sarà sentito un pesce fuor d'acqua o

SICILY JASS-THE WORLD'S FIRST MAN IN JAZZ, REGIA DI MICHELE CINQUE, DOCUMENTARIO, ITALIA-USA, 2015 (75 MIN.)

forse invece il suo ingombrante ego si sarà nutrito della fama che accompagnò tutto il tour inglese?

Realizzare questo film ha significato scavare nel passato, tra archivi polverosi, vecchi documenti, lettere private, rare fotografie e preziosissimi video. Negli archivi della Tulane University di New Orleans ho trovato la registrazione di un'intervista degli anni '50 rilasciata da Nick La Rocca. In questa lunga chiacchierata a un certo punto il cornettista cita il tour inglese e la sua fine prematura dicendo: «*I didn't want to stay in England no more, I had various reason that I can't tell why I had to leave England [...] Maybe someday someone may find out, but right now I wouldn't tell them.*» Ricordo che quando ho sentito per la prima volta la registrazione ho subito provato un brivido, quel brivido che forse sorprende i ricercatori quando si sentono vicini a una scoperta. Avevo trovato un altro piccolo mistero da risolvere e quella citazione a qualcuno, che nel futuro forse avrebbe scoperto le ragioni che avevano indotto La Rocca a lasciare l'Inghilterra, rendeva tutto ancor più stimolante. La risposta è arrivata molto tempo dopo, quasi alla fine del periodo di produzione del film e l'ho trovata proprio in Inghilterra, vicino Sherwood, a casa del ricercatore e collezionista Mark Berresford.

Mark mi ha raccontato che La Rocca, nonostante il matrimonio celebrato in America, si accompagnasse con molte ragazze della Londra bene. Tra queste sembra che avesse una passione per la figlia di un Lord, tale Dorothy Kathleen Hamilton. La giovane rimase incinta di Nick La Rocca e la leggenda racconta che, quando il padre lo scoprì, inseguì La Rocca armato di pistola fino all'imbarco di un battello diretto negli Stati Uniti e lo costrinse a lasciare il paese.

SICILY JASS-THE WORLD'S FIRST MAN IN JAZZ, REGIA DI MICHELE CINQUE, DOCUMENTARIO, ITALIA-USA, 2015 (75 MIN.)

Mark era riuscito anche a risalire al figlio che la giovane aveva poi dato alla luce, James, che non fu mai riconosciuto dal cornettista e che visse fino ai primi anni 2000. Questa, come altre curiose storie dell'epoca, purtroppo ha trovato poco spazio nel film, per i compromessi della sintesi.

Finalmente arrivo in Belgrave Square e incontro Marco, con cui fino a quel momento ci eravamo scambiati solo delle email. Mi sorprende raccontandomi le storie di importanti ospiti dell'Istituto e mi regala un libro, *Il capitale umano,*che contiene alcuni di questi racconti. La presentazione si svolge dalle 19:00 nella sala dell'Istituto di Cultura che per l'occasione è piena. Non sapevo che anche la mia sarebbe diventata una delle tante storie come quelle contenute ne *Il capitale umano*.

Incompleto
da pg. 11 a 34
XXV

25

ANTONIO GRAMSCI, QUADERNO 20 (XXV), 1934-1935
CM 14,8X19,8 / PAGINE UTILIZZATE 25
AZIONE CATTOLICA-CATTOLICI INTEGRALI, GESUITI, MODERNISTI

Pio La Torre, ecco chi sei

Franco La Torre
Londra, 23 giugno 2017

La mafia non riceve la legge ma la da. Questa affermazione è di mio padre, Pio La Torre.

Marco Delogu era convinto dell'opportunità di presentare Pio La Torre alla buona società londinese, di origine italiana e non, prendendo spunto dal libro, che mio fratello Filippo ed io avevamo appena scritto: *Pio La Torre, ecco chi sei*. La sua convinzione derivava dal fatto che fosse opportuno condividere queste riflessioni secondo il principio di allargare il dibattito, per contribuire a farlo emergere, per incontrare il mainstream.

Nella sua intensa, seppur non lunghissima vita – viene ucciso, insieme al suo amico e collaboratore Rosario Di Salvo, la mattina del 30 aprile del 1982, all'età di 54 anni – Pio La Torre conosce a fondo la mafia, nelle sue diverse rappresentazioni, dal barone feudale alla finanza globale.

Pio La Torre sceglie l'impegno sindacale e politico perché crede che la politica sia il mestiere più bello che c'è, perché serve a risolvere i problemi delle persone. In particolare, per mio padre, di coloro che i problemi non possono risolversi da soli. La sua è una visione di società ispirata ai diritti affermati dalla costituzione, che si nutre di giustizia sociale, di diritto al lavoro, di educazione e sanità pubblica, di una fiscalità giusta e progressiva, di una crescita economica equa e sostenibile, che sa dire no all'opzione nucleare.

Per questo si opponeva alla mafia e, per questo, la mafia lo considerava un nemico.

Nato ad Altarello di Baida, in una borgata alla periferia di Palermo, alla vigilia di Natale del 1927, in una famiglia di contadini poveri, conosce la mafia del feudo, che opprime e sfrutta i bracciati e controlla le loro esistenze, in nome e per conto dell'autorità, ovvero dell'aristocratico feudatario.

Il canto decimo dell'Inferno.

ANTONIO GRAMSCI, QUADERNO 4 (XIII), 1930-1932
CM 15X20,5 / PAGINE UTILIZZATE 160
IL CANTO DECIMO DELL'INFERNO
MISCELLANEA
APPUNTI DI FILOSOFIA – MATERIALISMO E IDEALISMO. PRIMA SERIE

114

Ne patisce le conseguenze quando, diventato un giovane dirigente sindacale e del PCI, la mafia incendia la stalla di casa, dove veniva allevato il vitello, che suo padre avrebbe venduto al mercato, per integrare il magro reddito familiare.

Ne conosce il volto "istituzionale", eletto nel Consiglio comunale di Palermo, agli inizi degli anni '50, dell'allora sindaco Salvo Lima, del suo assessore Vito Ciancimino, da molti considerato il vero sindaco del capoluogo siciliano, accompagnati da Giovanni Gioia, allora ministro della Marina Mercantile.

Tocca con mano gli interessi che legavano pezzi d'imprenditoria alla mafia, quando, segretario della Camera del lavoro di Palermo, si batte per i diritti dei lavoratori dei Cantieri navali, la più grande fabbrica della città e scopre che una nota famiglia di imprenditori del nord, i Piaggio di Pontedera, aveva affidato il collocamento alla criminalità organizzata, per impedire l'ingresso del sindacato ai cantieri.

La presenza della mafia nel nord d'Italia, a lungo negata, ha i volti di Luciano Leggio, detto Liggio, capo dei corleonesi negli anni 60' e 70', arrestato a Milano, dove non si era certo recato per turismo e di Michele Sindona, il salvatore dell'Italia, a detta di Giulio Andreotti, con la sua Banca Privata, finita in liquidazione ed amministrata da Giorgio Ambrosoli, ucciso da un sicario ingaggiato dallo stesso Sindona.

Tutto raccontato, con dovizia di particolari e tanto di nomi e cognomi, nella relazione di minoranza della prima Commissione Antimafia nel 1976.

Questa conoscenza gli permette di definire la mafia «un fenomeno di classi dirigenti», infedeli alla Costituzione repubblicana, di cui rinnegano i principi, pur di conseguire il loro obiettivo del controllo dei processi decisionali pubblici, per acquisire appalti e concessioni, utili all'accumulazione illecita.

Potere e denaro, questi i caratteri statutari della mafia, che basa la sua strategia nel rapporto di reciproco interesse che la lega alla politica, che ne garantisce la sopravvivenza e lo sviluppo. D'altronde, quale organizzazione criminale, anche la più forte, può sopravvivere all'azione di contrasto dello Stato?

Questa consapevolezza lo porta a formulare una proposta di legge, approvata il 13 settembre del 1982, dopo il suo omicidio e quello di Carlo Alberto dalla Chiesa. La legge Rognoni (dal nome del Ministro degli Interni dell'epoca) - La Torre, che introduce nel Codice Penale il reato di associazione mafiosa (il 416bis), autorizza le indagini patrimoniali e bancarie e consente il sequestro e la confisca dei beni ai mafiosi.

Una legge che ha consentito all'Italia, il paese della mafia, di diventare il paese dell'antimafia, a partire dal maxi processo, istruito da Giovanni Falcone e Borsellino. Una legge che è ritenuta un'arma straordinaria contro la mafia, che ancora non è stata debellata. Perché è vero che la mafia non ha vinto ma non ha neanche perso.

Come ci raccontano le inchieste giudiziarie e quelle giornalistiche, il sistema di potere politico-mafioso esercita la sua opera attraverso la negazione e la distorsione dei diritti fondamentali: il lavoro diventa favore, da ottenere sacrificando la libertà di voto, la libera impresa viene vessata, la salute viene sacrificata sull'altare del denaro degli appalti, garantiti dalla corruzione, l'informazione viene negata con l'eliminazione fisica e i giornalisti sotto scorta. Giusto per elencarne alcuni dei diritti, di cui la mafia fa strame.

Questo permette a Pio La Torre di affermare che «la lotta alla mafia fa parte della più generale battaglia in difesa della democrazia».

Infatti, il concetto di mafia come fenomeno di classi dirigenti, sostenuto dall'analisi storica, non trova un'adeguata collocazione nel dibattito politico – chissà perché – e nella narrazione pubblica.

La partecipazione alla presentazione di *Pio La Torre, ecco chi sei* di Federico Varese, docente ad Oxford, grazie alla sua raffinata ed approfondita conoscenza delle mafie globali, ha sprovincializzato la discussione sulle mafie, liberandola dai lacci che rappresentano il fenomeno come una esclusiva dell'Italia, che, invece proprio per la sua natura, attraversa tutti i continenti.

Il dibattito, quindi, si allarga e così il campo e la palla passa alle università inglesi, che ravvivano il gioco. Infatti, con la cura di Marco Delogu, di Pio La Torre, di diritti e di libertà, di progresso e di reazione, di democrazia e di mafia si è parlato agli studenti e ai professori di Oxford, Winchester, Brighton, Bath e Bristol.

Con buona pace di chi continua a pensare che la mafia è personificata da uomini di bassa statura, dalla carnagione olivastra, coi baffetti, la coppola, la lupara, che vivono in casali isolati di campagna, si nutrono di minestre di verdura e scrivono bigliettini in un italiano sgrammaticato e di quegli inglesi che, si capisce, ancora non hanno letto *McMafia* di Misha Glenny.

ANTONIO GRAMSCI, QUADERNO 21 (XVII), 1934
CM 14,8X19,8 / PAGINE UTILIZZATE 33
PROBLEMI DELLA CULTURA NAZIONALE ITALIANA. I° LETTERATURA POPOLARE

La prima Luisa Selis Fellowship
Sonita Sarker

Era familiare ma allo stesso tempo fantasticamente nuovo e audace! La mia visita a Londra nell'estate del 2017 ha seguito varie altre visite che ho fatto qui in precedenza. Quelle altre visite erano state per concerti o conferenze. Questa volta ho volato sulle ali dell'aspirazione e dell'ammirazione. La mia aspirazione era di provare una gioia sempre più intima nella lettura di Grazia Deledda e Antonio Gramsci nella loro lingua prescelta. Avevo anche scelto di abitare la lingua imparandola, proprio come avevano fatto Deledda e Gramsci. Inoltre, grazie alla borsa di studio Luisa Selis in Studi italiani che mi ha portato a Londra, ho sentito profondamente l'onore e di essere stata apprezzata per il mio lavoro in questo campo.

Il riconoscimento, esteso dall'Istituto Italiano di Cultura e dall'Istituto di Ricerca di Lingue Moderne dell'Università di Londra, ha reso il viaggio diverso. La mia ammirazione non si estende solo alla lingua che ho scelto di abbracciare, ma anche alla grandezza e alla bellezza delle visioni di Deledda e di Gramsci. Il viaggio nei mondi di Deledda e Gramsci, mi ha permesso di ritrovarmi a Belgrave Square in una maniera molto diversa da quella di un viaggiatore od un turista. Sarei potuta facilmente essere una richiedente per un visto, che bussa ad una delle tante imponenti porte delle ambasciate e dei consolati che si affacciano sulla piazza, magari con il permesso di entrare ed in procinto di partire presto. Invece guardavo alla piazza, come temporaria presenza, dalle finestre dell'Istituto e da quella del terzo piano della casa del Direttore, dove ho vissuto per l'estate. Mi sono ambientata presto nella modesta e regolare routine di prendere la metro per recarmi agli uffici e alle librerie della British Library e dell'Università di Londra, leggendo Deledda e Gramsci nella mia stanza, farmi strada lungo le scale, attraverso il soggiorno del

§.

§.

ANTONIO GRAMSCI, QUADERNO 19 (X), 1934-1935
CM 14,8X19,5 / PAGINE UTILIZZATE 133
RISORGIMENTO ITALIANO

Direttore, fuori dalla porta sul retro giungendo nel giardino (dove si trovava una panchina con un vaso di fiori in memoria di Luisa Selis), e quindi attraverso i portali dell'Istituto, per la meravigliosa serie di presentazioni creative – gli incontri, gli spettacoli e le mostre.

Questa routine si interruppe solo per le stimolanti visite nei luoghi di nascita e di lavoro sia di Deledda che di Gramsci – Nuoro e Ghilarza, rispettivamente – e quanto fui meravigliata dal senso dei luoghi! Ho seguito le orme dei visitatori a Londra ed i percorsi dei sardi a Nuoro e Ghilarza. Tutte queste brevi ma profonde esperienze, dove ho potuto testimoniare il lavoro e le vite degli artisti, dei poeti e dei rivoluzionari – grazie ad una donna di nome Luisa Selis a cui è stata intitolata la borsa di studio – sono state infuse in ogni parola che ho pronunziato nella presentazione in cui è culminata la mia borsa di studio. Le luci erano luminose, la stanza affollata e c'era un ronzio nelle mie orecchie ed ho esteso alle persone una piccola parte della ricchezza dei pensieri che ero stata così privilegiata ad esplorare.

ANTONIO GRAMSCI, QUADERNO 22 (V), 1934
CM 15X21 / PAGINE UTILIZZATE 46
AMERICANISMO E FORDISMO

Violenza e Democrazia nell'Italia unita

David Forgacs

Il cielo è blu e l'aria frizzante quando scendo dal taxi a Belgrave Square in una mattina di dicembre. Sono appena arrivato a Londra da New York e sto lasciando i miei bagagli all'Istituto Italiano di Cultura, dove la sera parlerò ad un talk. Successivamente, io ed altri andremo a cena nella residenza del Direttore con Marco Delogu, che mi ha invitato a passare la notte nella camera degli ospiti. Prendo la Victoria Line per Blackhorse Road per incontrare mia figlia Ellen per un caffè.

Ogni volta che torno a Londra, anche se sono passati mesi, tutto mi sembra immediatamente familiare e naturale, come se non me ne fossi mai andato. Sono nato e cresciuto qui, ma per gli ultimi sei anni ho vissuto a New York con la mia moglie italiana, Rachele. Lei lavora per la Open Society Foundation, mentre io insegno alla New York University. È facile passare da una città all'altra. Sono entrambe grandi, multiculturali e frenetiche e gli stranieri possono facilmente mescolarvisi. Le loro aree centrali sono state arricchite e gentrificate negli ultimi vent'anni, con banchine recuperate, spazi ex-industriali che ora sono giardini o gallerie d'arte, magazzini che sono teatri, caffetterie e negozi di design dappertutto.

Allo stesso tempo, entrambe le città sono diventate molto costose e l'aumento dei prezzi e degli affitti immobiliari ha spinto i residenti con redditi bassi verso periferie sempre più fatiscenti. E in entrambe le città, al di sotto della loro patina liberale e inclusiva, c'è ancora segregazione di stampo razziale nelle case popolari, nelle scuole e nella polizia. Nel quartiere di Waltham Forest, dove Ellen vive con il suo compagna Ben, metà della popolazione è di minoranza etnica. I primi cinque paesi di origine sono Pakistan, Polonia, Romania, Giamaica e India. Nell'America di Donald Trump come nella Gran Bretagna di Theresa May, e come ora nella

2017, MARINE HUGONNIER, SILK PRINTED PAPER CLIPS ONTO VINTAGE NEWSPAPERS FRONT PAGES, 68 X 51 CM,
ART FOR MODERN ARCHITECTURE - YEARS OF LEAD (1969), COURTESY OF THE ARTIST AND ARTUNER

maggior parte dell'Europa, i tempi sono difficili per i residenti stranieri il cui status di immigrazione non è sicuro.

Ellen ed io andiamo alla William Morris Gallery e ci sediamo al bar. È un momento difficile anche per lei. Sta per dare alla luce un figlio a cui è stato diagnosticato un arco aortico interrotto, un raro difetto cardiaco. Per sopravvivere avrà bisogno di un intervento chirurgico a cuore aperto pochi giorni dopo la sua nascita. Rimarrò a Londra fino a dopo l'operazione. Ellen mi dice che ha paura. Lei e Ben, che lavorano entrambi nel National Health Service, sanno che non tutti i bambini riescono a superare questa operazione, e quelli che lo fanno potrebbero avere altri problemi in seguito. Ma vedo anche quanto lei stia parlando di questi possibili futuri. Dopo il nostro caffè visitiamo la mostra dei magnifici ricami d'arte di May Morris. Le do un abbraccio e prendo l'autobus e poi la metro per tornare a Victoria.

Il mio intervento all'Istituto riguarda la violenza e la democrazia nell'Italia unita, oggetto del mio prossimo libro e di una mostra. Ho avanzato due argomenti. Il primo è che la violenza pubblica si è ripresentata sin dall'Unità quando la legittimità dello stato è venuta meno, è stata contestata o non è stata stabilita in modo sicuro: 1860, 1890, 1915-22, 1943-48, 1969-82, 1992-93, 2001. Il secondo è che la violenza è un atto comunicativo: atto ad inviare un messaggio sia alle vittime che agli spettatori e le comunicazioni servono la sua funzione legittimante o sfidante. Mostro alcune immagini strazianti per spiegare come ciò funziona e come le tecnologie comunicative si evolvono in 150 anni, dalla pittura e dal disegno alla fotografia, al cinema e al video. Sono contento di vedere i vecchi amici e gli ex colleghi, così come gli ex studenti, nel pubblico, e ne parliamo dopo. Sembra un vero e proprio ritorno a casa. In seguito parlo a cena con Katia Pizzi ed il suo compagno, e con Marco e la sua di compagna, Lorenza. Verso le dieci di sera cedo agli effetti del buon cibo, del vino e del jetlag e mi congedo.

Il mattino dopo è di nuovo soleggiato. Sento il piccolo Sebastiano, il figlio di Marco, che fa colazione, mi faccio una doccia e osservo la casa. È come una galleria fotografica privata. I corridoi sono decorati con stampe incorniciate di Marco e altri grandi fotografi, di cui ha curato il lavoro e che sono anche suoi amici, come Josef Koudelka e Don McCullin. Nella sala da pranzo ci sono le sue splendide e serene fotografie di cavalli. Ma so che molto del lavoro di Marco, sia come fotografo che come curatore, è segnato da esperienze di violenza, sfollamento forzato e emarginazione sociale: istituzioni psichiatriche, prigioni, guerra, Rom e migranti dal sud del mondo.

Marco mi porta a prendere un caffè in un piccolo bar italiano di fronte alla porta sul retro della sua abitazione. È una delle piccole imprese familiari sopravvissute a Belgravia nel bel mezzo della gentrificazione. Mi dice che l'auto ammaccata parcheggiata fuori appartiene ad Anish Kapoor, un vicino. Successivamente vado a incontrare la mia figlia più piccola, Ruth, per un caffè, e telefoniamo a Ellen. Londra mi sembra completamente familiare, ma stanno accadendo eventi eccezionali, sia nella mia famiglia che nel resto del mondo. Scrivo di violenza in Italia nel passato, ma la violenza è intorno a noi nel presente: non solo in Siria, Iraq, Afghanistan, Sud Sudan, ma anche nelle città europee, nelle città americane e a Londra, con una crescente violenza da arma bianca in alcune comunità ed un uso crescente della forza da parte della polizia. Un rapporto pubblicato nell'agosto 2017 ha rilevato che la polizia metropolitana aveva usato la forza più di 12.600 volte in tre mesi, con una quantità sproporzionata di incidenti che coinvolgevano persone di colore. Il mondo, polarizzato tra ricchi e poveri, gentrificati ed emarginati, istituzioni statali e persone, è molto instabile.

Il figlio di Ellen e Ben, Ethan, è nato una settimana dopo il mio arrivo a Londra e ha avuto l'operazione cinque giorni dopo. L'operazione ha avuto successo e, mentre ne scrivo, sta bene.

ANTONIO GRAMSCI, QUADERNO 23 (VI), 1934
CM 15X21 / PAGINE UTILIZZATE 75
CRITICA LETTERARIA

Reagire, interagire ed apprendere
Tre lezioni dalla serie "History and Democracy"

Andrea Mammone

Molte persone sembrano vivere come se non gli accadesse nulla intorno. Il mio treno da Whasington DC a Philadelphia è sicuramente molto tranquillo. Sento solo qualche compagno di viaggio parlare di sport. Ho lasciato l'Inghilterra per concentrarmi sul mio libro che, sfortunatamente, non è sul *college basketball* (ed è stato scritto in collaborazione con una guida eclettica quale Marco Delogu). Mi trovo qui probabilmente perché sto anche tentando, inconsciamente, di scappare da alcuni "fantasmi" che mi tormentano negli ultimi tempi. Hanno nomi strani, come Brexit, crisi dell'Europa e simili. Eppure, la verità è che io non posso evitarli facilmente perché scriverò di nazionalismo – né soprattutto quando sono seduto in un ufficio o in una biblioteca, circondato dall' atmosfera politica e culturale americana, bizzarra e nebulosa.

Prima di lasciare Washington DC, ho preso il tè con una sociologa. Il tempo è ancora caldo e piacevole su questo lato dell'Atlantico – meglio di quello europeo in ottobre! – e siamo rimasti all'aperto. Però, invece di goderci questo autunno inoltrato, le nostre preoccupazioni sono tornate a galla ancora: l'ascesa della xenofobia, il nazionalsimo, l'euroscetticismo, le ideologie suprematiste e la diffusa apatia verso le élite politiche tradizionali. Infatti le democrazie occidentali stanno affrontando una delle peggiori crisi dal 1945. Abbiamo bisogno di ricostruire un nuovo tipo di fiducia tra i cittadini e le istituzioni e di riflettere sui cambiamenti in atto nella rappresentazione politica contemporanea. Ma come? L'emersione del partito di estrema destra Alternative für Deutschland, che sta diventando uno dei più grandi partiti della ricca e apparentemente "immune" Germania, sta preoccupando ancora di più gli analisti. Il fascismo e l'autoritarismo stanno tornando nell'Europa dei

2017, MARINE HUGONNIER, SILK PRINTED PAPER CLIPS ONTO VINTAGE NEWSPAPERS FRONT PAGES, 68 X 51 CM,
ART FOR MODERN ARCHITECTURE - YEARS OF LEAD (1980), COURTESY OF THE ARTIST AND ARTUNER

giorni nostri? In un'era di demagogia, dichiarazioni di post-verità e migrazioni, questo tocca il vero cuore delle democrazie. La forze estremiste cambiano le istituzioni tradizionali? Il nazionalismo smantellerà l'integrazione europea? Gli anni del multiculturalismo sono finiti? Un populismo di destra sembra andare a braccetto con la convinzione in un "altro" non assimilabile nella nostra società multietnica.

Prima di lasciare la caffetteria, la mia collega mi ha chiesto se ci fosse una qualche speranza. Io sono rimasto in silenzio e la mia collega si è praticamente risposta da sola. C'è un incredibile attivismo spontaneo negli Stati Uniti. La donne sono sempre più coinvolte nella politica, i giovani democratici stanno incredibilmente guadagnando terreno nelle primarie di partito e molte associazioni stanno lottando contro ogni tipo di discriminazione. Il significato del mio silenzio mi era evidente: qual è la reazione in Europa ad alcune politiche illiberali o a strategie demagogiche? Non avevo molte risposte. Dopo aver sentito testimonianze, e benché io sia ottimista, pensavo di avere solo speranze intermittenti sull'immediato futuro del vecchio continente. Sul treno mi sono distratto. Dopo Baltimora, abbiamo attraversato alcuni fiumi: il Black River, il Gunpowder River, il Bush River, il Susquehanna River. Io sono cresciuto di fronte al mare, credendo che l' "acqua"aiutasse a riflettere. Alcune delle reazioni dell'Europa erano davanti ai miei occhi. È forse un modo poco coordinato, su piccola scala, ma le persone *reagiscono* e, quando è possibile, *interagiscono*.

Un esempio è stato la serie di eventi su *History and Democracy*. Sono stato fortunato a creare e (dis?)organizzare circa venti seminari interdisciplinari, che si sono tenuti all'Istituto Italiano di Cultura di Londra. Con l'aiuto di giornalisti, esperti, scrittori, attivisti e accademici, abbiamo

2017, MARINE HUGONNIER, SILK PRINTED PAPER CLIPS ONTO VINTAGE NEWSPAPERS FRONT PAGES, 68 X 51 CM,
ART FOR MODERN ARCHITECTURE - YEARS OF LEAD (1978), COURTESY OF THE ARTIST AND ARTUNER

provato a sfidare le molte "facili" e superficiali letture della complessa età attuale. Nel corso della produttiva stagione 2017-2018, abbiamo seguito vari eventi, adattando, a volte, il programma agli sviluppi culturali e sociopolitici in atto. In un mondo che scorre velocemente, le nostre interpretazioni e riflessioni erano inquadrate in una prospettiva globale e a lungo termine. Queste conferenze hanno analizzato tra gli altri lo stato delle democrazie occidentali, il welfare, i nuovi volti della politica, l'educazione, l'impatto delle ineguaglianze in ascesa, l'influenza dei nuovi media, la relazione tra i cittadini e lo stato o l'Unione Europea, la Brexit, l'immigrazione e i rifugiati, l'euroscettiscismo, il sistema sanitario, l'educazione, il ruolo della religione, la radicalizzazione, il neoliberalismo, il futuro della democrazia sociale, la corruzione, il nazionalismo e la memoria del fascismo, ma anche come la società e la cultura reagiscano a queste sfide. Tutti hanno imparato molto dai commentatori e a volte loro hanno sfidato modi di pensare eccessivamente semplicistici o acritici. Hanno anche interagito con il pubblico. Sono rimasto personalmente molto sorpreso da come il pubblico ha interagito con alcune discussioni – spesso fornendo la proprio prospettiva a riguardo. È il modo migliore di imparare – notoriamente attraverso la riflessione. Il trasferimento e l'interazione, o, per dirla diversamente, arricchimento reciproco. Nell'era dell'attivismo digitale e con le nostre società che sono interessate da differenti tipi di partecipazione politica, ho compreso come il dibattito, con le persone "sconnesse" è ancora centrale per comprendere molti dei cambiamenti socio politici. In breve, la *History and Democracy* mi ha insegnato molto più di quanto io abbia potuto "insegnare" al pubblico. Perciò devo correggermi: ho davvero delle speranze per il futuro.

ANTONIO GRAMSCI, QUADERNO 24 (XXVII)
CM 15X21 / PAGINE UTILIZZATE 18
GIORNALISMO

Gramsci transnazionale

Silvio Pons

È ormai quasi un luogo comune affermare che Gramsci è un autore (o persino un'icona) globale. Il suo nome difficilmente lascia indifferente una persona colta in Europa come negli Stati Uniti, ma anche in America Latina, India e Cina. Le evocazioni della sua teoria dell'egemonia sono innumerevoli e circolano abbondantemente nella stampa per non parlare del web. Le traduzioni dei suoi scritti si sono moltiplicate negli ultimi decenni. Uno dei personaggi dell'ultimo romanzo di Jonathan Franzen, *Purity*, è un lettore di Gramsci. Ma una cosa è dire che Gramsci ha una fama globale, tutt'altra cosa toccare con mano la verità di questa affermazione. Questo è successo la sera del 30 ottobre 2017 a Londra, all'Istituto Italiano di Cultura di Belgrave Square.

L'idea originaria era una specie di uovo di Colombo: dal momento che le esposizioni degli originali dei *Quaderni del carcere* di Gramsci hanno avuto un notevole successo di pubblico in Italia, in particolare nella mostra allestita alle Gallerie d'Italia a Milano nel 2016, perché non organizzare la prima mostra all'estero? E quale location migliore di Londra, per il suo cosmopolitismo e per la tradizione intellettuale che da tempo ha reso noto Gramsci nelle università britanniche? Bastano pochi minuti di conversazione con Marco Delogu perchè quella che poteva sembrare un'immaginazione e un azzardo divenga un progetto concreto.

L'impresa non è da poco. In fin dei conti, l'idea stessa di esporre i *Quaderni* è recente persino per l'Italia. Ed è ovvio che la sensibilità e il rispetto nei confronti di Gramsci presentino una dimensione nazionale, uno dei pochi riconoscimenti unitari in un paese diviso e litigioso come il nostro. Lo dimostra, tra l'altro, il tributo del Parlamento italiano a Gramsci in occasione dell'80° anniversario della morte. Portare i *Quaderni* a Londra

§. I nipotini di padre Bresciani ~

§. Passato e presente ~

ANTONIO GRAMSCI, QUADERNO 3 (XX), 1930
CM 14,5X19,7 / PAGINE UTILIZZATE 158
MISCELLANEA

significa altro: appunto, scommettere su un pubblico globalizzato e dotato di una curiosità culturale sufficiente per recarsi a vedere i *Prison Notebooks* (tradotti soltanto in un'edizione selettiva che risale agli anni Settanta) sotto una teca di vetro.

Eppure è andata proprio così, quel pubblico si è materializzato oltre ogni aspettativa. Alle sei del pomeriggio, insieme a Marco e alla presenza dell'Ambasciatore Terracciano, ho inaugurato la mostra con un breve discorso davanti a una sala gremita di persone. Un pubblico attento e consapevole della statura di Gramsci come classico del pensiero politico moderno, della sua fortuna globale e anche dell'esigenza di conoscerne il contesto storico e la biografia. Intanto si formava una lunga fila fuori dall'edificio. Nella bella sala al primo piano, dove l'esposizione era allestita sobriamente, centinaia di persone hanno sfilato ordinatamente per alcune ore, soffermandosi pochi minuti per porre lo sguardo sulla scrittura minuta e regolare di Gramsci, curiosare sui touch screen digitali che consentivano di mettere bene a fuoco singole frasi e parole del testo dei *Quaderni*, e di visionare i libri da lui letti in prigione. Persone di diverse generazioni, italiani o inglesi, studenti universitari e professori, giornalisti e scrittori, e tanti altri. Con qualcuno ho parlato scambiando idee e opinioni, fino a tarda sera, nessuno era lì per caso.

Un giornalista dell'*Economist* ha poi scritto che la visione dei *Quaderni* trasmette a chiunque emotivamente, al di là delle appartenenze culturali e politiche, l'energia e l'erudizione che li pervadono. Si potrebbe dire, l'evidenza del motivo per cui il pensiero di Gramsci è sopravvissuto alla fine del comunismo in Europa ed è entrato a far parte delle culture globali del nostro tempo. Forse Londra è soltanto l'inizio di un percorso transnazionale.

ANTONIO GRAMSCI, QUADERNO 25 (XXIII), 1934
CM 14,8X19,8 / PAGINE UTILIZZATE 17
AI MARGINI DELLA STORIA (STORIA DEI GRUPPI SOCIALI SUBALTERNI)

Intorno a Kandinsky –> Cage

Martina Mazzotta

«Il bianco ci colpisce come un grande silenzio che ci sembra assoluto. Interiormente lo sentiamo come un non-suono, molto simile alle pause musicali che interrompono brevemente lo sviluppo di una frase o di un tema, senza concluderlo definitivamente. È un silenzio che non è morto, ma è ricco di potenzialità. (…) È la giovinezza del nulla, o meglio un nulla prima dell'origine, prima della nascita. Forse la terra risuonava così, nel tempo bianco dell'era glaciale» (Kandinsky, *Lo spirituale nell'arte*).

Dovevamo arrivare a questo, a un termine ultimo di quiete, di assenza di forme e di colori, a una pausa che portasse a compimento un breve, eppur forte, percorso nelle viscere de *Lo spirituale nell'arte*. Il tutto presentando al pubblico londinese una mostra italiana che non esisteva ancora, un libro che l'avrebbe accompagnata di cui non c'erano neppure le bozze, un progetto che solo se "vissuto sulla propria pelle" avrebbe conferito senso, forse, a un grande affresco di nomi e di destini. Partendo da Kandinsky e giungendo fino a Cage: *ma come, i due accostati in un titolo che pare assurdo, messi in relazione attraverso una pericolosa freccia che trafigge il Novecento puntando ai meravigliosi, mai risolti scambi tra arte e musica?*

Una bella sfida – da accompagnare a una certa dose di incoscienza e visionarietà – che Marco Delogu accoglieva attento, partecipando alla regia sinestesica del tutto: pittura, musica, parole recitate e declamate, fino al silenzio. Nella squadra organizzativa Giulia, i preziosi collaboratori di sempre di Belgrave Square e il Fazioli, quello che troneggia al primo piano dell'ICI, come una montagna sacra, certo uno dei pianoforti più belli di Londra. La Londra nella quale, quattro anni prima, avevo deciso di trasferire i miei figli perché potessero crescere e respirare l'aria del padre, formare la propria identità percorrendo il doppio binario anglo-italiano dei genitori, guardare alla propria cultura, alle proprie origini, con la flessibilità e l'apertura consentite dalla velocità delle comunicazioni e dei trasporti di oggi, nelle molte accezioni del caso. Lasciavo dietro di me anni di appassionata militanza in quella fucina di idee, di libri e di mostre che era stata la casa editrice milanese di mio padre, di mia madre, insieme con la fondazione fonte inesauribile di scoperte, di sperimentazioni trans-disciplinari, di aperture dell'Italia all'Europa (oggi, ancora e sempre, archivio "living"). Normale che trovassi nell'Istituto, rinato proprio in concomitanza con il mio arrivo in città, un vero e proprio cuore pulsante di vita, di vite, con il quale imbastire sin da subito iniziative e eventi per bambini; poi una specie di costellazione, da frequentare e ascoltare, attorno alla quale gravitano stelle e pianeti per me importanti: l'Ambasciata, il Consolato, la Scuola Italiana a Londra, la Libreria Italiana, Cinema Italia-UK, tra gli altri.

Nel caso della serata "sinestetica" in oggetto, si trattava non solamente di ospitare l'anteprima di una mostra italiana, ma di dischiudere al pubblico tutto un contesto storico, artistico e filosofico che ha riguardato l'Europa centrale e i paesi di lingua tedesca, in primis, fino ai paesi baltici e alle influenze russe. Un ambito studiato e affrontato, anche dal punto di vista teoretico, più in Italia e "nel continente" che da queste parti; un clima culturale che si fonda su presupposti cari a Goethe e a Wagner e che faceva dell'arte, delle arti, la sede privilegiata di *idee universali*; un percorso nella storia dell'arte certo parallelo a quelli più battuti, giacché la nascita dell'arte astratta ha riguardato molti centri e contemporaneamente, ma si è sviluppata in senso *spirituale* soprattutto a Monaco di Baviera, dove pittura e musica s'intrecciavano nelle sperimentazioni di Kandinsky e di Schönberg,

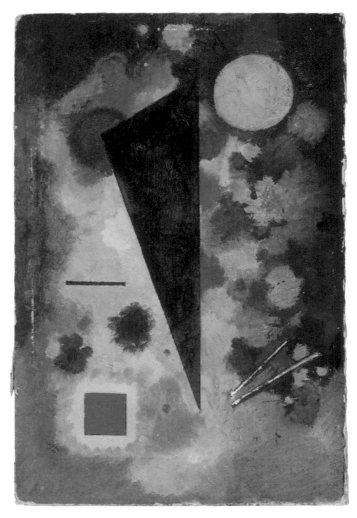

WASSILY KANDINSKY, BUNTER RISONANZA MULTICOLORE, 1928, OLIO SU CARTONE

WASSILY KANDINSKY, LA GRANDE PORTA DI KIEV, XVI, 1930, TEMPERA, INCHIOSTRO E ACQUERELLO SU CARTA

in seguito maestro di Cage (a corredo, in questo viaggio: Klinger, Ciur-lionis, la Werefkin, Klee, Fischinger, Melotti, Turcato, De Stael).

Si tratta di artisti che hanno saputo prescindere dal proprio ego, che hanno intrattenuto con la vita della natura (molti di essi erano botanici) e della spiritualità (anche in senso esoterico, religioso e occultistico) un rapporto fecondo che ha permesso alle arti visuali di affrancarsi dalla rigidità spaziale e simultanea cui erano confinate per *temporalizzarsi* e vibrare nello spirito degli osservatori, proprio come accade con la musica: «Il colore è il tasto, l'occhio il martelletto, l'anima il pianoforte dalle mille corde. L'artista è la mano che, toccando questo o quel tasto, fa vibrare l'anima» (Kandinsky). Erede di questa *philosophia perennis* il poliedrico Cage, ponte definitivo con l'Oriente che sollecitava, come Kandinsky, a considerare il bianco e il silenzio come punti di partenza e di arrivo, che invitava a divenire ri-creativi facendo vibrare l'opera dentro di sé, attivando i sensi e quell'ascolto primario delle funzioni vitali che consentono di scoprire la vita dello spirito - e in relazione al cosmo – per empatia (*Einfuehlung*).

C'è un grande studioso, in Inghilterra, che ha saputo sdoganare i rapporti tra arte e musica con un suo libro, *The Music of Painting*, divenuto riferimento imprescindibile in lingua inglese, così come le sue sapienti traduzioni dei testi di Kandinsky. Si tratta di Peter Vergo che ha partecipato con entusiasmo al catalogo della mostra e alla serata in ICI, lodando i primati italiani e generalmente europei (continentali) nell'affrontare questi temi con un approccio transdisciplinare, come nel caso di una mostra destinata a un largo pubblico.

Forse è per questo che *Kandinskyà Cage* è stata accolta come una novità, riscuotendo grande successo di pubblico e di critica a livello nazionale e non solo (è stata nominata, per esempio, tra le migliori 10 mostre in Europa nel 2017, secondo Robinson di Repubblica). Si tratta di un esperimento che ha restituito a molti una sorta di fiducia nella possibilità di rendere flessibili le persone, offrendo loro "altro", e che Davide Zanichelli, intervenuto all'anteprima londinese, ha avuto il coraggio e la lungimiranza di portare avanti, insieme con tutta la squadra della Fondazione Palazzo Magnani. Il primo passo era stato compiuto a Londra, dove una serata sinestesica e polisensoriale non poteva certo limitarsi a una conferenza e a un florilegio di opere, artisti e idee.

La regia invitava così il pubblico dell'ICI a salire dal piano inferiore a quello superiore dell'edificio, raggiungendo attraverso le scale la "montagna sacra", in una lenta e silenziosa processione. Esperimento riuscito: un breve, denso melologo con Paolo Repetto al pianoforte e Marco Gambino quale voce recitante incideva magicamente nell'aria i *Quadri di un'esposizione* di Mussorgsky, poi Schönberg, poi Brahms e le dichiarazioni poetiche degli artisti:

I have nothing to say
and I am saying it
and that is poetry
as I need it.
(John Cage)

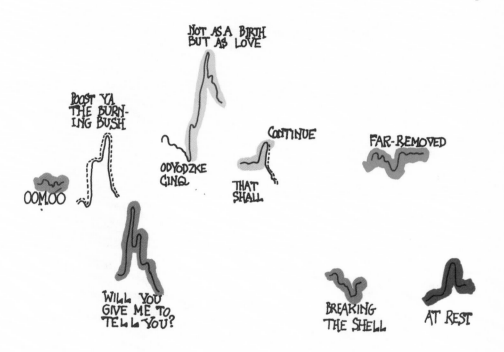

JOHN CAGE, ARIA. VOICE (ANY RANGE), 1958, PER CATHY BERBERIAN. PARTITURA

ANTONIO GRAMSCI, QUADERNO 26 (XII), 1934 - 1935
CM 14,8X20,5 / PAGINE UTILIZZATE 12
ARGOMENTI DI CULTURA. 2°

Venezia, Londra e Napoli

Mario Codognato

Una decina di anni fa Francesco Clemente, un grande amico e pittore, ideò una serie di lavori, delle mappe immaginarie, intitolata significativamente *In meiner Heimat*. Ogni mappa affiancava e sovrapponeva tre mappe di altrettante città in scala e stile diversi, creando una visione onirica ma sinottica della biografia artistica ed esistenziale di Francesco – Napoli, Varanasi e New York – i tre punti cardinali della sua vita e della sua ricerca creativa. Un giorno mi disse che ne voleva fare una per me e di scegliere tre luoghi significativi nel mio percorso. Non ho dovuto riflettere a lungo: Venezia, dove sono nato, e poi ovviamente Londra e Napoli, le due città in cui mi sono formato e sono cresciuto professionalmente e non solo. Uno non può scegliere dove nascere, ma per fortuna, almeno in molte parti del mondo, può scegliere dove andare a vivere. Londra e Napoli sono state una scelta, molto voluta e molto sospirata. Londra e Napoli sono due megalopoli talmente complesse, poliedriche e quasi inafferrabili che paragonarle o cercare di trovare delle similitudini o delle differenze più che difficile risulta superfluo. Sono due città in cui le contraddizioni del passato e della contemporaneità convivono, con una valenza ed una accelerazione esponenziale. Hanno una identità fortissima, inossidabile. Sembrano sempre uguali ma cambiano in continuazione. Vivono di un passato glorioso e tragico ma mutano e si adattano al presente. Anzi creano presente.

Ecco perché l'irresistibile invito di Marco Delogu di fare una mostra a Londra all'Istituto di Cultura sulla collezione di arte contemporanea di uno degli istituti benefici più antichi, come il napoletano Pio Monte della Misericordia, è stata per me un'occasione che è andata molto al di là di una semplice presentazione. Per qualche settimana, letteralmente

CARAVAGGIO, SETTE OPERE DI MISERICORDIA, NAPOLI, 1607

148

occupando tutto l'Istituto con le opere, ha messo insieme due città straordinarie e i miei due centri di riferimento.

La collezione contemporanea del Pio Monte si è formata grazie alla generosissima disponibilità degli artisti che hanno donato le loro opere a questa istituzione. Tutti artisti con i quali ho lavorato e collaborato negli anni, sia negli anni londinesi che in quelli napoletani e che per stima ed amicizia ho potuto avvicinare a questa iniziativa. Molti di loro sono britannici o gravitano su Londra e quindi aiutano a chiudere idealmente il cerchio o meglio, come nelle mappe di Clemente, a sovrapporre le strade, ad affiancare i vicoli di Napoli con le piazze alberate di Londra.

Nel 1982, con grandissimo clamore, il dipinto di Caravaggio *Le Sette Opere di Misericordia* lasciò Napoli per essere esposto, in via del tutto eccezionale, ad una mostra sul barocco napoletano alla Royal Academy di Londra. Questa straordinaria e rivoluzionaria pala d'altare, commissionata dal Pio Monte nel 1607, ed il tema della solidarietà sono il punto di partenza delle opere commissionate agli artisti contemporanei, che in qualche modo hanno fatto ritornare trentacinque anni dopo nella metropoli britannica l'urgenza della assistenza ai più deboli.

ALLESTIMENTO DELLA MOSTRA SETTE OPERE PER LA MISERICORDIA

ALLESTIMENTO DELLA MOSTRA SETTE OPERE PER LA MISERICORDIA

ANTONIO GRAMSCI, QUADERNO 27 (XI), 1935
CM 15X20,5 / PAGINE UTILIZZATE 7
OSSERVAZIONI SUL "FOLCLORE"

La semplicità del bambino

Marina Abramovic

Marco Delogu: Marina, sono molto colpito dalla frase di Brancusi che recita «quanto è bello e difficile diventare un bambino di nuovo». Quando penso al mio lavoro di fotografo, come artista, penso spesso alla mia vita e proprio pochi minuti fa stavamo parlando di quanto è stata veloce! La domanda: come fai a comportarti da bambina quando fai arte?

Marina Abramovic: Marco, questa è una domanda molto importante, perché mi è appena stata fatta una domanda simile: cosa voglio per il resto della mia vita, la vita che mi è rimasta davanti? Ci penso molto spesso. Mi ricordo quando ero molto giovane, credo nove o dieci anni, al mio compleanno ho realizzato improvvisamente che un giorno sarei morta! Ero nel panico e non potevo credere che stavo compiendo dieci anni. Questo sentimento, questa idea che ogni giorno siamo più vicini alla morte, non mi ha mai più lasciato. E ciò è estremamente importante. Quando acquistiamo questa consapevolezza e pensiamo che siamo così saggi e pensiamo in questo modo per anni, com'è possibile dimenticare tutto questo? È importante ritornare all'innocenza del bambino, essere capaci di svegliarsi la mattina e vedere il mondo per la prima volta. È molto difficile, perché effettivamente questo è il punto della creatività, quando devi ascoltare l'intuizione che viene da dentro di te, in qualche modo, dal tuo stomaco o solo in un modo completamente inaspettato, per esempio in bagno, o aspettando l'autobus, o – lo dico sempre – tagliando l'aglio (io amo tagliare l'aglio)... È una cosa così fresca, pulita e pura.

È quando la creatività sta davvero cercando di tornare indietro all'innocenza del bambino. Ed è così importante perché devi perdere il tuo ego come prima cosa, e perdere la nozione che sei l'essere umano più importante, che sei grandioso... devi tagliare via tutte quelle stupidaggini e buttarle via per la semplicità. L'unico modo di sopravvivere nel mondo che stiamo vivendo è di tornare alla semplicità: la semplicità del bambino.

Ho passato con Marina il pomeriggio prima della sua presentazione, abbiamo parlato di molti argomenti sia attinenti all'arte che alla nostra sfera personale. A un certo punto Marina ha ricordato l'inverno del 1977 quando, con Ulai, passò tre mesi nelle montagne di Orgosolo nell'ovile di un pastore a produrre pecorino e coprirsi con la lana non lavorata delle pecore; io provo sempre a convincerla di tornare a Orgosolo, lei dice che è stato un periodo meraviglioso, ma io non so se riuscirò veramente a convincerla a tornare.
Marco Delogu

Marina Abramovic ha presentato all'IIC un libro di fotografie di Alessia Bulgari.

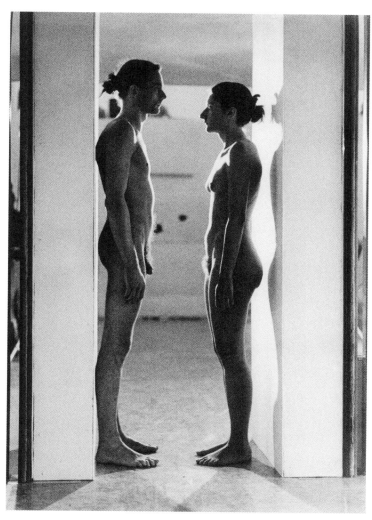

MARINA ABRAMOVIČ E ULAY, IMPONDERABILIA, GALLERIA D'ARTE MODERNA, BOLOGNA, 1977

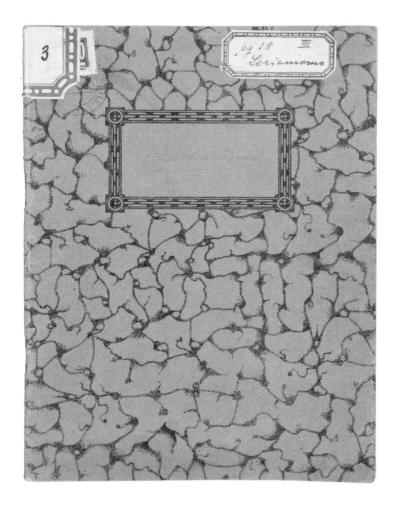

ANTONIO GRAMSCI, QUADERNO 28 (III), 1935
CM 14,8X20,5 / PAGINE UTILIZZATE 18
LORIANISMO

Il pane e la fotografia
Josef Koudelka

Josef Koudelka: Sono nato in un piccolo villaggio di appena quattrocento persone. Una volta a settimana arrivava il fornaio per consegnare il pane. Una volta portò con sé anche alcune fotografie per mostrarle a mio padre, ed è così che nacque il mio interesse per la fotografia.

(…) Il mio modo di lavorare consiste nell'impiegare molti sforzi nel trovare un posto dove possano essere ambientate le mie fotografie. E quando trovo il posto, cerco poi di recarmici quanto più posso, alle volte ci vogliono mesi solo per realizzare la prima fotografia, qualche volta non arrivo mai a quel punto. È lo stesso con le persone. Per quindici anni sono andato in giro per gli stessi paesi, visitando le stesse persone, fotografando le stesse cose. Per me queste persone sono come un teatro; ciò che sto fotografando adesso è anch'esso un teatro, dove però le persone se non ci sono più.

Credo che quello che dicono sul mio lavoro dagli anni '60 in poi è che sto cercando di fotografare come gli esseri umani contemporanei influenzino il paesaggio. Ed è vero che non mi limito a fotografare semplicemente le persone od il mondo contemporaneo. Sono molto felice che ci siano fotografi, anche alla Magnum, che lavorano sulla fotografia contemporanea. Ma se fai foto da cinquant'anni, cerchi di completare quello che hai, quello di cui hai bisogno. Ci sono sempre meno situazioni e persone che adesso fotografo. Ma ritengo di essere molto interessato al mondo contemporaneo per ciò che concerne il paesaggio.

Penso quindi che questo lavoro sull'archeologia sia per me su come gli esseri umani abbiano influenzato positivamente il mondo. Come gli archeologi che cercano di mostrarci quello che non abbiamo visto, ciò che abbiamo perso. Sono per questo molto contento che risulti contemporaneo e ciò è positivo.

JOSEF KOUDELKA, PARCO DEGLI ACQUEDOTTI, COMMISSIONE ROMA 2003

JOSEF KOUDELKA, PARCO DEGLI ACQUEDOTTI, COMMISSIONE ROMA 2003

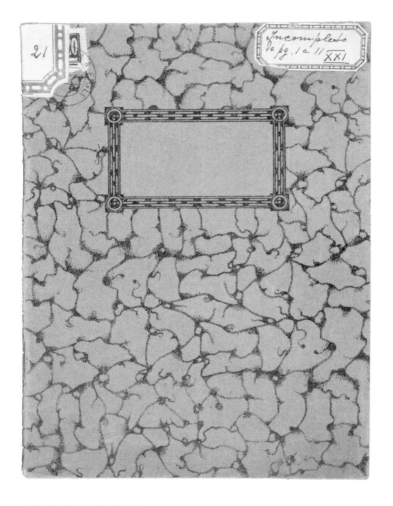

ANTONIO GRAMSCI, QUADERNO 29 (XXI), 1935
CM 14,8X20,5 / PAGINE UTILIZZATE 10
NOTE PER UNA INTRODUZIONE ALLO STUDIO DELLA GRAMMATICA

Qualsiasità

Alessandro Dandini De Sylva

Nei primi anni Ottanta, fiorisce in Italia un fronte culturale formato da un grande numero di fotografi che, impiegando una fotografia diretta e di semplice osservazione dei luoghi, tentano di ridefinire il rapporto fra uomo e ambiente. La loro fotografia è caratterizzata da numerosi riferimenti culturali, dall'Arte Concettuale alla Land Art, dalla vicinanza con la fotografia americana moderna a quella contemporanea, da Walker Evans a Paul Strand, da Robert Frank ai New Topographics. Ma soprattutto la fotografia italiana degli anni Ottanta trova esatta continuità con la grande esperienza del cinema neorealista.

Nel 1984, *Viaggio in Italia*, il progetto ideato da Luigi Ghirri e Gianni Celati, libera l'immaginario collettivo dai modelli visivi sui quali si era costruita nel tempo l'immagine del Bel Paese, introducendo l'idea che la fotografia sia idea della fotografia e riflessione sul fare l'immagine, dunque ripensamento dell'immagine e completo ribaltamento della precedente fotografia. Dopo oltre un secolo di sostanziale continuità si ridefinisce il rapporto tra fotografia e paesaggio, identificando quindi il soggetto principale di una nuova generazione di fotografi.

Risale a questo periodo la scelta di Guido Guidi di lavorare con un apparecchio di grande formato, in grado di garantire un'accurata progettazione dell'immagine e una resa minuziosa del dettaglio, ottenuta grazie alla stampa a contatto del negativo a colori. Sensibile alla quotidianità minima degli spazi abitati, al vuoto e a tutto ciò che è marginale e disperso, Guidi non lavora sulla città, ma su un intero territorio sul quale continuamente si muove, la fascia tra l'Emilia-Romagna e il Veneto. Sempre circondato dai giovani, Guidi spoglia la fotografia di ogni artificio formale e parla ai suoi allievi di «una fotografia non monumentale e dei monumenti, ma una fotografia della *qualsiesità*, come diceva Zavattini».

A distanza di oltre trent'anni, *Qualsiasità* mette a confronto diverse esplorazioni compiute sul territorio della Romagna dal 1984 fino a oggi da Guidi e da una nuova generazione di artisti testimoni della sua particolare attitudine all'esplorazione del paesaggio. Fotografi come Cesare Ballardini, Cesare Fabbri, Jonathan Frantini, Marcello Galvani, Francesco Neri e Luca Nostri – che in tempi diversi hanno frequentato le sue lezioni a Ravenna o Venezia e orbitato la sua casa-studio di Cesena – hanno mantenuto vivo l'interesse per il paesaggio marginale come occasione per riflettere sulla natura della fotografia.

Sette autori, una stessa visione della fotografia, un percorso comune fatto di affinità, vicinanza (anche geografica) e frequenti collaborazioni. Dai progetti sviluppati da questi fotografi nel corso degli anni – in parte su commissione e in parte come libere divagazioni nei loro luoghi di nascita o di residenza – emerge un'insistente esplorazione dei paesaggi collocati "dietro casa", un'area geografica che da Cesena si estende fino a Ravenna passando per Faenza, Fusignano, Lugo e Massa Lombarda.

La "qualsiasità" dello sguardo si traduce anche nei loro lavori in una fotografia del quotidiano, attenta agli aspetti minori del territorio e rivolta al paesaggio immediatamente vicino, vissuto come luogo primo dell'osservazione. La frontalità delle riprese, l'uso piano e descrittivo del colore, il privilegio accordato alla visione ordinaria dalla media distanza, lo sguardo democratico, sono tutti elementi di un vocabolario comune ai sette fotografi, che rispecchiano l'idea di una fotografia "trasparente", in grado di collocare in secondo piano la soggettività dell'autore e ogni pretesa di creatività.

MARCELLO GALVANI, MASSA LOMBARDA, 2008

JONATHAN FRANTINI, PINETA SAN VITALE, 2010

164

GUIDO GUIDI, MARTORANO, VIA MARIANA, 1993

ANTONIO GRAMSCI, QUADERNO A (XIX)1929
CM 15X20.6 / PAGINE UTILIZZATE 200
"DIE LITERARISCHE WELT" (TRADUZIONI)
TRADUZIONI DA J. E W. GRIMM, FŪNFZIG KINDER- UND HAUSMARCHEN, I

Acre
Pino Musi

Su invito di Marco Delogu, direttore dell'Istituto Italiano di Cultura di Londra, nel maggio 2017 il mio lavoro *Acre* è stato esposto nella bella sala a pianterreno dell'Istituto. Nell'allestimento delle opere abbiamo deciso di evitare ogni orpello estetizzante, rendendo molto asciutto l'impianto espositivo. Nello spirito e nelle modalità comunicative di Carl Andre, le opere, prive di cornice, ma solamente protette da un vetro sottile, sono state trattenute alle pareti con quattro chiodi ben posizionati. Questa scelta tendeva a richiedere al fruitore di rapportarsi all'essenza delle immagini, all'urgenza dei loro contenuti.

Nell'estate del 1847, quando Gustave Flaubert andò in viaggio in Bretagna, quella regione era fortemente ancorata ad un'immagine esotica. Durante il suo lungo tour di tre mesi, il giovane scrittore esplorò l'area senza attraversarne l'interno, restando piuttosto sulla costa, in compagnia del suo amico fotografo Maxime Du Camp, con cui, due anni più tardi, avrebbe nuovamente partecipato a una famosa spedizione archeologica in Oriente, documentata dai calotipi di quest'ultimo.

Nell'aprile del 2016 ho cominciato vari sopralluoghi in Côtes-d'Armor, nell'entroterra bretone (per me una terra incognita), su invito del Centro d'arte e ricerca GwinZegal, coinvolto nella promozione della fotografia d'autore in quest'area prevalentemente rurale. Ho avuto, dopo il sopralluogo, la possibilità di essere in residenza d'artista e di condurre liberamente un progetto a medio termine della durata di qualche mese, con finalità precise: mostra itinerante e libro.

Liberato dalle restrizioni inerenti una *commande* pubblica, ho adottato un approccio più intuitivo di quello strettamente documentario, in grado di offrire una lettura soggettiva dello spazio e dei luoghi, come una proiezione di me stesso sul paesaggio. Ho concepito questo progetto come un attraversamento in due direzioni: quello fisico, che dalle fattorie contadine si potesse estendere alle periferie dei piccoli centri urbani passando per i siti delle industrie agroalimentari e l'altro, mentale, che mi veniva costantemente suggerito dalla storia della fotografia di paesaggio e dal lavoro di alcuni autori che ne hanno rappresentato importanti fasi di transizione, come Walker Evans, Lewis Baltz, Robert Smithson. Sono stati soprattutto Carl Andre ed Ellsworth Kelly ad essere un referente costante di questo mio lavoro.

Mettendo l'architettura al centro della mia pratica, l'interesse si è inizialmente focalizzato sulla struttura delle fattorie che punteggiava una campagna orientata sostanzialmente all'allevamento di bestiame e alla produzione lattiera. In francese (ma anche in italiano) per *acre* si intende l'unità di misura del terreno agricolo, ma *âcre* è anche il carattere amaro che in questi anni ha assunto una parte dell'entroterra bretone, quello non rappresentato dall'immagine convenzionale per il turismo, ma da un territorio meno conosciuto ed indagato, dove all'apparente rigoglio della natura e alla bellezza dei luoghi è sotteso un conflitto dovuto all'uso sconsiderato dei pesticidi nelle campagne e alla massiccia presenza degli allevamenti intensivi.

Le fotografie trasmettono il senso di una campagna fragile e paradossale, il cui carattere ancestrale e immutato contrasta con cambiamenti sempre più rapidi. Le immagini sono volutamente attenuate di contrasto, ricche di sottili passaggi di grigio, senza pressoché alcuna presenza umana e trasmettono la monotonia e l'atmosfera sospesa di quei luoghi, accentuata dall'assenza di indizi legati al tempo.

PINO MUSI, ACRE, 2017

PINO MUSI, ACRE, 2017

Questa attenzione agli spazi apparentemente senza qualità di una società rurale precaria, rivela, in qualche modo, anche una certa equivalenza tra la forma delle tradizionali fattorie agricole e quella delle abitazioni senz'anima dell'area periurbana. Nell'edilizia a ridosso dei centri urbani quella forma si spoglia dell'energia data dai materiali originari che la costituiscono, la pietra, la terra, irrigidendosi in un involucro asettico, spento.

Il percorso della mostra *Acre* sottolinea la connessione esistente tra le entità composite del mondo rurale attuale e dialoga e si contrappunta, nell'allestimento all'Istituto Italiano di Cultura di Londra, con altri percorsi fotografici messi in campo dal curatore Marco Delogu per l'occasione, tra cui quello della serie *Settlements* di David Spero, che ho molto amato, andando a creare un intreccio di riflessioni tematiche e di scritture fotografiche estremamente interessanti.

Mi sembra che la forza dell'attività dell'Istituto Italiano di Cultura di Londra stia proprio nel creare un costante dibattito intorno alle tematiche espositive, punti di partenza da cui far scaturire le più variegate analisi e riflessioni. Questo fa sì che anche la fotografia non si rinchiuda in un recinto autoreferenziale, ma attraverso i suoi contenuti e le sue forme si innesti in un dibattito vitale con altri linguaggi dell'arte, della letteratura, in un continuo dare e avere che la mantiene sempre in una dimensione aperta e propositiva.

ANTONIO GRAMSCI, QUADERNO B (XV), 1929-1931
CM 15X20,6 / PAGINE UTILIZZATE 191
TRADUZIONI DA J. E W. GRIMM, FÜNFZIG KINDER- UND HAUSMARCHEN, II
LE FAMIGLIE LINGUISTICHE DEL MONDO DI FRANZ NIKOLAUS FINCK, I (TRADUZIONE)

Destruction/Recostruction

Daniele Molajoli e Flavio Scollo

A seguito dei due terremoti che hanno colpito il centro Italia nel 2016, abbiamo fatto due viaggi in Umbria, nella Val Nerina, per documentare la bellezza ferita di quel territorio e dei suoi beni culturali. Marco Delogu, promotore principale del progetto, ci poi invitò per esporre le fotografie all'Istituto, utilizzando due pareti nere in cui erano incastonati otto grandi monitor. Questo stratagemma tecnologico si è rivelato sorprendentemente coerente al lavoro prodotto ed efficace nel presentarlo. I monitor componevano così le immagini in un mosaico che permetteva di sottolineare ulteriormente le mutazioni a cui le chiese, i paesaggi e le persone erano andate incontro a seguito dei due eventi sismici.

D'altro canto, Londra e l'Istituto erano un po' la seconda casa naturale di quel lavoro: il primo terremoto si verificò mentre ferveva la preparazione della quindicesima edizione di FOTOGRAFIA – Festival Internazionale di Roma e Marco, che già ricopriva il ruolo di direttore all'Istituto e del Festival ne era il direttore artistico, capì subito che l'edizione di quell'anno doveva esserne coinvolta. Trovò ne il Circolo – Italian Cultural Association London un partner entusiasta e noi partimmo alla volta di Norcia per la prima indagine sui danni che il terremoto aveva provocato ai beni culturali, tornando a Roma appena in tempo per appendere le stampe al muro, mentre il festival inaugurava.

Qualche settimana dopo il secondo terremoto, con le prime nevi di novembre, decidemmo di tornare nella zona e rifotografare quanto più possibile gli stessi luoghi che già avevamo ritratto. Fu un'esperienza che ci colpì profondamente: il monastero di Norcia, l'abbazia di Sant'Eustizio, le chiese di San Salvatore e Sant'Andrea, a Campi – luoghi dove probabilmente eravamo stati tra gli ultimi ad entrare in compagnia dei vigili del fuoco – erano ridotte a cumuli di macerie o poco più.

A Londra il materiale di entrambi i viaggi si è finalmente riunito per la prima volta in un racconto completo ed è stato in qualche modo confortante sapere che le fotografie realizzate sarebbero state utilizzate per veicolare una borsa di studio per permettere a ricercatori delle aree colpite dal sisma di trascorrere un periodo di studio a Londra, focalizzando la propria ricerca sull'arte e il patrimonio culturale delle regioni colpite dai disastri naturali.

Qualche settimana dopo l'inaugurazione, Marco ci mandò una foto di Josef Koudelka che cenava nei saloni dove erano esposte le foto, davanti ai monitor accesi. Un pubblico decisamente d'eccezione.

DANIELE MOLAJOLI E FLAVIO SCOLLO, MADONNA CON BENDE DI RESTAURO, DEPOSITO DI CITTADUCALE,
DALLA SERIE DISTRUZIONE E RICOSTRUZIONE, 2016

ANTONIO GRAMSCI, QUADERNO C (XXVI), 1929 - 1930
CM 15X20,6 / PAGINE UTILIZZATE 193
ESERCIZI DI LINGUA INGLESE
CONTINUAZIONE DI F.N. FINCK-I CEPPI LINGUISTICI DEL MONDO, II (TRADUZIONE)
CONVERSAZIONE DI GOETHE CON ECKERMANN (TRADUZIONI)
ESERCIZI DI LINGUA TEDESCA SULLE POESIE DI GOETHE

Modigliani alla Tate

Nancy Ireson

«Con un occhio guardiamo al mondo esterno, mentre con l'altro guardiamo dentro di noi».
A.C. Modigliani

«I giovani hanno da sempre bramato l'avventura. All'età di ventun anni, quando, aspirante artista, Amedeo Clemente Modigliani decise di lasciare la sua città di provincia in Italia, c'era un unico luogo in cui potesse andare. L'anno era il 1906 e la città era Parigi. Arrivando da tutto il paese e da tutto il mondo, come avevano fatto per decenni, le persone si riversavano nella capitale francese portando con sè lingue diverse e idee nuove. Trovavano e creavano nuove opportunità. Come molti artisti, prima e dopo di lui, l'identità e l'opera di Modigliani sono stati trasformati dall'esperienza di un ambiente nuovo. Considerando questo, benché focalizzata su un solo individuo, la mostra della Tate celebra in un certo senso un viaggio che rimane tuttora familiare. Anche prima di arrivare in Francia, grazie all'ambiente in cui era cresciuto, la migrazione di concetti e l'incontro di diverse culture non erano estranee a Modigliani. Era nato nel 1884 nella città portuale di Livorno, in una famiglia relativamente cosmopolita di ebrei sefarditi [...] Il suo apprendistato artistico era iniziato durante l'adolescenza e, visitando Venezia, Firenze e Siena, era venuto a contatto con i tesori rinascimentali della sua terra. Quando aveva lasciato l'Italia, con un piccolo supporto economico dei suoi genitori, si era portato dietro una comprensione profonda del suo patrimonio culturale. Questa mostra sceglie invece di esaminare Modigliani all'interno delle restrizioni e delle opportunità del suo tempo, considerando il suo impatto sulle persone che conosceva, la società in cui lavorava e in cui creava la sua arte».[1]

[1] Tratto e tradotto da *Modigliani & Modernity* di Nancy Ireson, Simonetta Fraquelli & Annette King in *Modigliani*, Londra, Tate Publishing, 2017.

La mostra *Modigliani* si è tenuta alla Tate Modern da novembre 2017 ad aprile 2018, con la collaborazione dell'Istituto Italiano di Cultura, il quale ha colto l'occasione per rendere omaggio a uno dei più iconici artisti italiani del secolo scorso. Frances Morris, direttrice della Tate Modern ha detto che è stato «un immenso privilegio raggruppare 100 di queste opere in questa mostra, la più ampia retrospettiva su Modigliani mai tenutasi nel Regno Unito».[2]

[2] *Director's Foreword* di Frances Morris in *Modigliani*, Londra, Tate Publishing 2017.

MARCO CIPRIANI, MODIGLIANI ALLA TATE MODERN

ANTONIO GRAMSCI, QUADERNO D (XXXI), 1932
CM 23X15,8 / PAGINE UTILIZZATE 2

Violoncello piccolo a Belgrave Square

Mario Brunello

Non capita così frequentemente di poter suonare a un metro da opere esposte in uno dei Musei più ricchi e frequentati al mondo, la National Gallery di Londra e non solo, ho potuto anche scegliere le opere davanti alle quali suonare. Tre i capolavori scelti e per tre volte è stata appositamente allestita in un batter d'occhio, una sala da concerto!

In realtà la musica alla National Gallery si fa abbastanza regolarmente, si vuole continuare, e onorare, una tradizione nata sotto le bombe della seconda guerra mondiale, quando nel Museo ormai svuotato e le opere messe al sicuro, la pianista Myra Hess nel 1939 e lungo tutto il periodo della guerra diede dei concerti nella sala centrale della galleria.

Cosa suonare davanti a tali capolavori, tra l'altro con un violoncello solo? La direzione del Museo mi ha invitato a non sentirmi obbligato da temi, periodi storici o argomenti, piuttosto cercare di interpretare liberamente l'opera pittorica attraverso la musica, il mio immaginario sonoro. Ho pensato che con la musica mi sarei divertito a trovare una interpretazione sonora, ma uno storico dell'arte come l'amico Guido Beltramini avrebbe potuto poi illuminare le mie scelte.

Così passeggiando tra le sale, senza un obbiettivo preciso, cercando di essere attratto dai *suoni* delle immagini, il primo quadro mi è apparso in tutta la sua *risonanza*: *L'Ascensione della Vergine* di Francesco Botticini, del 1477. Un vortice risonante di voci, colori, suoni, una specie di nave spaziale in decollo sopra una quieta e silenziosa campagna, o montagna, fiorentina.

La musica era in un attimo già decisa, la Sesta Suite di Bach per violoncello solo, Concerto Rotondo di Giovanni Sollima per violoncello e live electronics e la seicentesca Chiaccona di Giuseppe Colombi in

HANS HOLBEIN IL GIOVANE, AMBASCIATORI, OLIO SU TAVOLA, 1533

una mia versione con loop. Musiche in cui la *risonanza,* intesa nei suoi molteplici significati, si manifesta attraverso varie forme e suoni.

Con la soddisfazione di un primo obbiettivo raggiunto così inaspettatamente, ho continuato la passeggiata tra le stanze della National Gallery, fiducioso. Molte opere mandavano segnali sonori, ma altrettante ne dovevo scartare per l'impossibilità di realizzare la musica con il solo violoncello. Ma ecco *l'enigma* degli *Ambasciatori* di Hans Holbein, una celebrità all'interno della collezione. Più che dai due giovani elegantissimi ambasciatori o dal famoso teschio che si rivela solo guardando il quadro dalla sinistra, sono stato attratto dagli oggetti posti sullo scaffale in secondo piano. Simboli che raccontano una storia nascosta a un primo sguardo, ma che esprimono attraverso innumerevoli particolari, forse, il vero significato dell'opera. Un mondo che, agli inizi del Cinquecento, si sta dividendo tra guerre e religioni. Inquietante il piccolo crocifisso seminascosto dalla tenda in un angolino in alto a sinistra, quasi irriconoscibile.

La musica si fa sentire, improvvisamente. Per questo programma devo andare ad attingere al repertorio del violino e ho bisogno di un altro strumento, il violoncello piccolo. Di Heinrich Ignaz Franz von Biber la Passacaglia dal settecentesco ciclo *Mysterium,* ultima composizione di una serie di Sonate destinate ad accompagnare i simboli della Via Crucis, ognuno con una diversa accordatura dello strumento. I *Vier kurzen Studien* del 1970 di Bernd Alois Zimmermann in cui vengono rappresentati i quattro elementi e una nuova teoria di scrittura del tempo in musica: i valori delle note sono dati dalla distanza di altezza tra loro. Infine la Partita in Re minore di Bach e la sua famosa Ciaccona.

La Ciaccona che in realtà nasconde un epitaffio, dedica del compositore alla morte della prima moglie Maria Barbara. Citazioni da corali su temi di vita, morte, resurrezione, appaiono tra le 30 variazioni sul tema di Ciaccona, come anche riferimenti numerologici, tradotti in note, a date di nascita e morte di Maria Barbara e al nome stesso della moglie. Un programma che parla di *enigma* dalla prima nota all'ultima.

A questo punto avrei voluto andare a cercare tra i capolavori del Novecento, ma lo sguardo si è posato sulla rappresentazione di un paesaggio a me troppo familiare: una campagna "gioiosa et amorosa" dipinta nel 1507 da Cima da Conegliano. L'incredulità di San Tommaso mi ha attirato nostalgicamente verso quella campagna trevigiana, ma una certa *distanza*, un'atmosfera sospesa e silenziosa rimaneva tra me e la scena dipinta. Come se ciò che sta accadendo nella scena fosse precluso al mondo esterno. Forse il metafisico muro grigio, disadorno del tempietto, o forse il silenzio di attesa nell'espressione degli Apostoli. Anche se quest'opera risuonava silenziosa, distante, la musica era decisa: la Quinta Suite di Bach con la Sarabanda sospesa in uno spazio abissale, infinito. La Prima Sonata del 1960 di Mieczyslav Weinberg, un compositore che ha seguito un suo personalissimo linguaggio, una strada solitaria nell'epoca sovietica. Infine John Cage con *4,33*, la composizione che ha messo il mondo intero davanti al silenzio inteso come musica.

Come dicevo, tre sale da concerto uniche e in un certo senso irripetibili all'interno di un Museo che, durante i concerti nello scorso autunno, hanno continuato a vivere, brulicare di visitatori rispettosissimi e silenziosi anche quando nell'avvicinarsi alla sala dove l'opera d'arte pittorica si stava quasi sciogliendo in suoni inaspettati.

Tutto questo ho avuto il piacere di raccontarlo, tra un appuntamento e l'altro alla National Gallery, all'Istituto Italiano di Cultura di Belgrave Square a Londra nella bella sala al primo piano, dove ho portato solamente il violoncello piccolo usato nel secondo dei tre programmi alla National.

Un'occasione per presentare uno strumento raro, molto conosciuto fino alla metà del Settecento, poi dimenticato nel giro di un paio di decenni. Conversando con il giornalista Peter Quantrill della rivista Strad e con gli amici dell'Istituto abbiamo potuto raccontare anche una storia che ci ha riportato alla Londra del 1735, quando il famoso virtuoso italiano di violoncello piccolo Andrea Caporale arrivò a Londra e diede concerti di grande successo. Fu anche per questo chiamato da Haendel nella sua orchestra per eseguire gli assoli al violoncello piccolo scritti appositamente per lui.

Andrea Caporale, di cui Charles Burney scriveva «full, sweet and vocal tone», fu qualche anno dopo coinvolto in un famoso duello musicale con Jacopo Cervetto, altro violoncellista virtuoso italiano vissuto a Londra, che si svolse nell'antico Little Theatre di Haymarket.

Guarda caso a due passi dalla National Gallery e… non proprio lontano da Belgrave Square n 39.

ALLESTIMENTO DELLA MOSTRA ACRE DI PINO MUSI

ALLESTIMENTO DELLA MOSTRA QUALSIASITÀ NELLA PROJECT ROOM DELL'IIC

ALLESTIMENTO DELLA MOSTRA DISTRUZIONE E RICOSTRUZIONE DI DANIELE MOLAJOLI E FLAVIO SCOLLO

ALLESTIMENTO DELLA MOSTRA NEW VEDUTE - ALTERNATIVE POSTCARDS FROM ROME DI SIMON ROBERTS

ALLESTIMENTO DELLA MOSTRA TIES | LEGAMI I, OPERE DI PIETRO CONSAGRA E UGO MULAS

ALLESTIMENTO DELLA MOSTRA TIES | LEGAMI II, OPERE DI PIETRO CONSAGRA E MARINE HUGONNIER

Note e appunti
Conversazioni a Belgrave Square
A CURA DI Marco Delogu

COORDINAMENTO ED EDITING TESTI A CURA DI
Flavio Scollo

PROGETTO GRAFICO
Nicola Scavalli Veccia

© per le immagini gli autori
© per i testi gli autori

TRADUZIONI IN INGLESE
Sarah Ponting, Alisei Apollonio

TRADUZIONI IN ITALIANO
Flavio Scollo

Quodlibet editore
Via Santa Maria della Porta, 43 - Macerata
www.quodlibet.it

Stampato in Italia nel Dicembre 2018

Note e appunti
Conversazioni a Belgrave Square

curated by Marco Delogu

Foreword
Pasquale Q.
Terracciano

At Belgrave Square, 2017 has been a year of previews, exhibitions and unique events. Under the guidance of the Director Marco Delogu, the Italian Cultural Institute hosted a season full of successful events, of which this volume revisits some of the most significant ones.

In occasion of the 80th anniversary of the death of Antonio Gramsci, the Italian Cultural Institute exhibited for the first time outside of Italy the *33 Prison Notebooks*, one of the most important Italian, as well as international, works of political, philosophical, and literary thinking, welcoming, on the opening night alone, more than 1000 people. Just as exceptional was the exhibition *Seven Works of Mercy*, an experimental project exhibiting the works of 33 international artists, and then generously donated to the Pio Monte della Misericordia museum. And finally, the series *Ties | Legami*, a diptych of shows on the work of Pietro Consagra, which put in dialogue some of the most famous artworks of the sculptor with those of international contemporary artists.

The already fruitful dialogue between the Italian Cultural Institute and the main cultural institutions of the United Kingdom has been consolidated during 2017, a year which has seen the creation of exceptional collaborations. I would like to bring to mind the collaboration with Tate Modern in occasion of the Modigliani exhibition, and its collateral events, and that with Sadler's Wells Theatre, a temple of contemporary dance, in occasion of *Wild*, a show created by the Italian choreographer and curator Gianluca Vicentini, or that with Whitechapel Gallery, in occasion of the screening of *Together*, a movie by Lorenza Mazzetti.

Alongside the exhibitions and great collaborations, the Italian Cultural Institute conducted an intense agenda full of encounters, conversations and presentations, which connected artists, writers and internationally renowned experts with a an increasingly young and international audience. In this context, I would like to bring back to mind the encounters with the best-selling author of *Seven Brief Lessons on Physics*, Carlo Rovelli, and the unforgettable conference on the relationship between energy resources and our future needs, *Earth, Mankind and Energy*, held by Nobel Prize winner Carlo Rubbia.

There were also numerous series of lectures organised by the Institute around themes dear to the culture of our Country, ideated for those who, through proper conference cycles, wished to get to know or deepen their knowledge of certain topics. In addition to the traditional Italian language classes, always very popular, it is worth mentioning *Italian Graphic Design*, a seminar on graphic design and visual communication in Italy in the 20th century, in collaboration with Alliance Graphique Internationale and

Associazione Italiana Design della Comunicazione Visiva, as well as *The Young School: Protagonists and Antagonists*, five musical chapters exploring the complexity of the Italian operatic scene between 1800s and 1900s.

Over the past year, the Italian Cultural Institute has known how to alternate between the best artistic tradition of our Country and new voices, the humanities and science, lectures and workshops, thus demonstrating how there are no boundaries in the field of culture. In an increasingly multidisciplinary academic and artistic landscape, where even those spheres that appear to be very far from each other now mix creating surprising mergers and ties, the transversal work that the Italian Cultural Institute is doing, which unifies, contaminates and experiments, can be a springboard for reflection in order to interpret, with a broader outlook, the complex global challenges of recent years.

I would like to conclude with Gramsci's very own works from the *33 Prison Notebooks* exhibited at the Institute: "Culture does not mean owning a storage room well-stocked with facts, it is in fact the ability of our mind to comprehend life, our place in it, our relationships to other men. He who has culture is conscious of himself and of the whole, he who feels a relationship to all other beings". By pursuing these values, the work of the Italian Cultural Institute is an irreplaceable contribution to the building blocks of those cultural bridges that, since a very long time, support the already sound friendship between Italy and the United Kingdom.

Note e appunti
Marco Delogu

'*Note e appunti*' (Annotations and Notes), that's how the first of the "prison notebooks" of Antonio Gramsci, that gives the title to this volume, starts. It is the story of a year, in which many writers, artists, historians, scholars and a wider and even more various public has crossed the door of the building in 39 of Belgrave Square, to share their thoughts and their work.

For the director of an Institute of Italian Culture the most interesting aspect is to find constant threads that combine the various topics covered, avoiding isolating the individual disciplines and looking for more and more contamination between the different scholars (scholars / experts) who also bring the public not to favor individual topics but to favor multiple listening.

All my work is focused on identifying a common feeling that crosses the limits of the individual disciplines, avoiding the proliferation of small self-referenced families; I really like it when a writer is interested in photography, a philosopher in architecture, an artist in science and I like it when everyone deepens and does not limit himself to listening to the usual mainstream names.

The following step is the constant verification of the territory. Since the first months of my assignment I started to 'feel' what was happening around, to be part of well-structured communities, bringing the contribution of the Italian cultural world; I refer to museums, festivals, book or art fairs, and academic research activities and to the whole calendar that marks the passing of the year.

The big news of 2017 has been to start cycles (of History, Literature, Design and Theater) open to the UK world, involving international speakers. Of course, all the series were mainly focused on an Italian-British dialogue but, particularly in the series of History, we have hosted scholars from all over the world. All the series have been successful and have led to the extension of the public, to its interaction and, in the case of literature and later of the theater, to the need to create more, to leave the walls of Belgrave Square's building and to look for spaces for strong moments like the FILL Festival at the Coronet Theater.

The prestige of the Institute is now more and more consolidated, which means that it is much easier to bring the best of Italian culture in the UK, without big expenses: I think that for an artist or a scholar it is much more interesting to know and to dialogue with the best interlocutors (publishers, museum directors, gallery owners, academia, press, market) rather than receiving a medium salary and speaking in a semi-empty and slightly bored room. The results in publishing are always better, certainly the Modigliani exhibition helped the Italian Novecento, that, with artists like Alighiero Boetti, Giorgio De Chirico, Lucio Fontana and many others, enjoyed great success.

In 2017 we made nearly three hundred events, including lectures, exhibitions, seminars and book presentations. I will speak only of some, starting from the film *Together* by Lorenza Mazzetti, presented on the 20th of January, with great emotion in hearing Lorenza telling the story of the massacre of her family, the Einstein, by the retreating Nazis in Tuscany, and her arrival in London, the Slade School, the shooting of the film in East London with two friends, how she managed to find a producer, after throwing a cup of hot tea on his leg and finding out that it was made of wood ("The real one I left in Monte Cassino!", He told her) and eventually win a prize at the 1956 Cannes Film Festival and go down in history as the first film from the Free Cinema movement.

Lorenza Mazzetti is a very interesting woman also in her books and her paintings, but even more in public in her conversations. A perfect example of Italian and British culture that come together to achieve very high results.

On February 9th and May 23rd we hosted Professor and senator for life Elena Cattaneo and Professor Roberto

Cingolani to talk about Italian excellence in science and new research scenarios. Two talks in between the specific research and the collaboration of science and institutions to create an Italian system, two very important talks in a city like London, home to many Italian professors, researchers and students, with endless questions from the public.

On March 15th we inaugurate the exhibition *Seven Works for Mercy*, linked to the famous painting by Caravaggio commissioned at the beginning of the seventeenth century by the Pio Monte della Misericordia in Naples. The exhibition, curated by Mario Codognato, is the first that extends throughout the institute and sees the presence of many Italian and foreign artists including Anish Kapoor, Olaf Nicolai and Henrietta Labouchere, who were also present at the crowded inauguration. Three days later Marina Abramovic arrives to talk about art and photography, and so we remember her passage in Barbagia to make pecorino cheese in the winter of 1977, when she and Ulai remained three months in a Sardinian sheepfold, before going to Bologna for the very famous action *Imponderabilia*.

On March 27th, Iaia Forte in Italian and Branka Katic in English, read *Hanno tutti ragione* (*They Are All Right*) by Paolo Sorrentino, the delirious story of a Neapolitan melodic singer who arrives in New York to perform in front of Frank Sinatra at Radio City Music Hall. It is

the third appointment of the Contemporary series, curated by Monica Capuani and dedicated to Italian theater, which had already seen Fabrizio Gifuni and Pippo Del Bono. We know the difficulties of Italian contemporary theater in the UK and this is why we think it is right to promote it a lot, and we know how many Italian theaters have strong relationships with British playwrights and we try to present them again in our talks.

From May 17 to October 18 we host eight meetings by Boyd Tonkin - one of the greatest authorities of British literary criticism - with as many great writers living in England, who came to the Institute to talk about an Italian writer who had a great influence. Let's start with Hanif Kureishi who talks about the importance of Italo Svevo in his training and we close with Ali Smith who tells Giorgio Bassani, passing by Sarah Dunant on Maria Bellonci, Lisa Appignanesi on Elena Ferrante, Aamer Hussein on Natalia Ginzburg, Ben Okri on Italo Calvino, Jamie McKendrick, Elif Shafak on Primo Levi. Elif tells in a poignant lecture of how important it was for a young Turkish writer to read Primo Levi, retrace her experience and re-propose it in a repressive society like the Turkish one, from which Elif then detached herself.

The fact that eight great British writers recognize a great formative role in Italian literature, and especially in

Italian twentieth century writers, is one of the many confirmations of how our literary scene is increasingly recognized in the British scene and reiterates the great success of literature Italian new millennium, increasingly translated and published in the United Kingdom.

On 6 June, Carlo Rovelli presents his book *Seven Short Physics Lessons*, translated by Penguin with a huge publishing success. A very warm evening with a young audience of various nationalities, ended with an equally warm and informal dinner where Carlo spoke with everyone about everything. We left us with the intention of presenting the book The Order of Time in 2019, as soon as the UK edition is ready.

On 12 June, at the end of a week of residence in our guest house and a trip to the north of England to photograph the wall of Hadrian, Josef Koudelka presents his work on the sites of the Roman Empire. A very crowded room, the world of great British photography, and a projection of over four hundred images introduced by me with Josef, with a brief lecture by archaeologist Andrew Gardner. In the end, a Q & A that never wanted to end, but that Josef has at one point interrupted, greeting everyone with a lot of heat.

On June 29, the Pietro Consagra exhibition opens. It is an ambitious project that will last four months, alternating the photographs of Ugo Mulas, an immense photographer, and then the works of Marine Hugonnier, produced for this exhibition starting from ten first pages of the *Corriere della Sera*. A sign to defend Italian art and to understand how it is also a great reference for international contemporary art.

On 12 July, Professor Sonita Sarker talks about Antonio Gramsci and Grazia Deledda at the end of her studies at the School of Advanced Study for the first Luisa Selis Fellowship dedicated to anthropological studies in Sardinia. From the success of this scholarship the idea was born to immediately constitute another and then, this time in collaboration with the Warburg Institute, we set up a scholarship in Natural Disaster and Cultural Heritage that will start at the end of the year.

On September 21 starts the series of meetings on contemporary history edited by Professor Andrea Mammone of Royal Holloway, University of London, with a lecture by Professor Federico Filchenstein (New School of Social Research in New York City) on fascism and populism, the subject of his long studies culminated in the edition of the book *From Fascism to Populism* in History published by the University of California press. From the first lesson we understand that the interest in the themes of contemporary history is very strong and everything will culminate in a community that will continue to meet and debate for all subsequent lectures.

After a long and careful preparation, the Festival of Italian Literature in London opens at the

Print Room Theater at Coronet on October 21st. Talks with Marco Mancassola and Stefano Jossa began at spring to work on a festival. I immediately proposed not to do it at the Institute but outside, to experience the city, and Anda Winters understood our project and welcomed us. From that moment Marco has put on an extraordinary team of very passionate volunteers and the festival has become a reality, a beautiful and very warm reality.

The great exhibition of the year is that on the notebooks from Antonio Gramsci's prison, for the first time exposed outside the Italian borders (they had been in Moscow, but during the war and to save them from the fascist regime). The wait is great - Gramsci in the UK is always very popular and popular - and at the inauguration we have to remove the chairs and welcome over three hundred people to hear the words of Ambassador Pasquale Quito Terracciano, of the President of the Gramsci Foundation Silvio Pons, of the President of the Sardinia Region Francesco Pigliaru, and mine. The exhibition opens with over a thousand people line up to see the notebooks (luckily it does not rain and it's not cold because the very long queue in Belgrave Square reaches beyond waiting time).

On December 6 Mario Brunello comes to the Institute and gives a beautiful lesson on cello, his story, the music, and the different types of instrument. His words and his music are perfect for our logically packed first floor room. The next day, Mario will perform at the National Gallery in front of three great works; He teaches in London and we will certainly see him again at the Institute.

The last event of the year is a memory of Maestro Arturo Toscanini by the Superintendent of the Teatro alla Scala Pereira, but I do not remember that memory, I have to renounce participating with a strong influence. Gaia Servadio, who conceived and managed the event tells me of another successful evening of a wonderful year for Italian culture in the United Kingdom.

This intense and engaging program that has gone through the Institute throughout 2017 and still animates it, has found its roots and its propulsive drive a few months earlier, to be exact on June 24, 2016 when the morning of the Brexit result many people they woke up - especially in London - shocked, incredulous. My first reaction was to respond immediately, and the first act was to open. They close, we open. As the Christmas season approached, the first of the Institute's opening opportunities for the community was presented. For years, the famous photograph of Don McCullin, depicting an Irish homeless man in London, hangs on a wall of my house. For years now, the Community of Sant'Egidio has organized a lunch for the poor every Christmas in the Basilica of Santa Maria in Trastevere. The idea therefore came immediately and very naturally: a Christmas dinner for the homeless, the needy of London and all nationalities. The institute is located in Belgravia, one of the wealthiest neighborhoods in Europe, not far from the Victoria station, a historic meeting place for many homeless people. If the gap between rich and poor is ever increasing, the relationship between the homeless of Victoria and the very rich Belgravia is the perfect example: rich and poor of many nationalities, close but separate. On December 24, 2017, we then tried to symbolically fill this division by repeating the Christmas dinner: set tables, ceramic plates, glasses of glass, and many community volunteers as waiters. A bit of hot tea to start warming up, then music, talk and finally gifts and *panettone* for all our eighty guests. It is still very little, a simple special evening of welcome and warmth in an increasingly closed world.

Together: Pulcinella and soupe d'oignon
Lorenza Mazzetti

When I was invited by Marco Delogu to do a presentation of my movies, I was very happy because he is a real connoisseur! However, I certainly did not expect to find a cinema full of so many great people and someone as nice as Robert Lumley who presented my *Together*[1] with so much fondness and enthusiasm.

The last time I had been to London, I went to look for the British puppeteers who had imported the Commedia dell'Arte from Naples. I was happy to meet them because for many years I owned a puppet theatre in Rome where I did the exact opposite: I presented, probably for the first time in Italy, the English puppets Punch and Judy. I was fascinated by the fact that, as opposed to our Pulcinella[2], Punch was *actually* mean, which made the show incredibly funny. Do you want to hear an example? Jealous of his wife Judy, one

[1] It's the 1956 movie *Together*, the first film to be presented as manifest of the British cinematographic movement Free Cinema, with which Lorenza Mazzetti won the "Mention au Film de Recherche" at the Cannes Film Festival that same year. The movie was then screened in occasion of the Scottish artist's Eduardo Paolozzi retrospective at Whitechapel Gallery in London (Spring 2017) and in occasion of the London Jazz Festival the following autumn, with live music performance by saxophone players Raymond MacDonald and Christian Ferlaino.

[2] In July 2016 the philosopher Giorgio Agamben held a conference at the Italian Cultural Institute of London about the relationship between the Shakespearean character Punch and Pulcinella, a Commedia dell'Arte character. The author stated "English puppeteers - Pulcinella was imported from Naples to London at the end of 17th century with the name Punch - call it the 'unknown tongue'; it is in this unknown tongue that Pulcinella speaks today in the streets and outdoor puppet theatres where the masters of the trade (who, in England, significantly call themselves professors) act as keepers of this tradition." Cfr. Agamben, Giorgio. London 1975 – 2016. In Il Capitale Umano: conversazioni a Belgrave Square, p.26.

day he takes their child and throws him out the window. He was capable of worse, but in the end he always managed to avoid punishment for his actions. At times kids, who always love villains, were a left a bit dumbfounded, but at the end I always told them it was all a dream, so the meanness faded away.

Going back to the evening event organised by the Italian Cultural Institute, I have to tell the truth. At the end they had organised a dinner reception, which involved appetising parmigiana aubergines… but by the time I managed to climb up the majestic staircase, when I finally got upstairs, everything was gone, and I would have been left high and dry, were it not for dear Robert who shared his parmigiana with me and fetched me a delicious glass of wine. Thanks goodness on the next day Delogu invited me for lunch in a lovely French restaurant where I feasted on *soupe d'oignon*!

Because, you have to know this about me, when I get invited somewhere to an event, it is not so important for me to present my books or my movies, as much as eating a great meal is… Thank you, Marco!

Massimo Popolizio at Belgrave Square
Emanuele Trevi
London, Italian Cultural Institute, 11th September 2017. Taking advantage of Monica Capuani's complicity, who impeccably directed our encounter with the public, Massimo Popolizio and I talked about the show inspired by *The Hustlers* (*Ragazzi di vita*) that, since a year, has been periodically part of the programme of the Teatro Argentina in Rome, completely sold out every night, played by a formidable company of young actors, with Lino Guanciale in the role of the 'narrator'. That's right, this is a great starting point, the *narrator* - as Massimo and I always called him, which doesn't necessarily mean he is a stage incarnation of Pier Paolo Pasolini.

If one wants to transpose a novel to the theatrical stage, thinking about the author is not that useful, it is the narrator who is the key to the question, otherwise the weave of the narrative remains inextricable. This is why it took us such a long time to build a dramaturgy. Massimo told of the boundaries we imposed on ourselves: not to add even one single word of our own, tapping exclusively into Pasolini's book and a small group of short stories from the same time, which, for one reason or another, did not end up being part of the novel, but could have very well done it. With pleasure and surprise, we realised that the audience on the ground floor at Belgrave Square is much more interested in this shop talk than we had expected.

Because the show, with all its actors (almost twenty) and its immense spaces, is a mammoth which could only be evoked with words, as we didn't even have a video excerpt to offer the public. Trying it out in a smaller space, just to give you a taste of the very empirical problems we were facing, it seemed that, after so many months of work, the script was perfect - within the limits of our abilities, of course. In fact, when the company arrived at the Argentina for the last course of rehearsals, it became clear that many lines were to be adapted to the sheer dimensions of that stage. Always keeping in mind our vow not to be cheeky with Pasolini's original text.

Monica is really good, she doesn't miss a cue, and slowly there emerged a whole autobiographical aspect, the pleasure of working together, the long meetings where Massimo shared with me some sublime interpretations of the text. And for sure, there emerged also the initial difficulties, as we had never worked on anything together, before that complex (and expensive!) experiment. I had myself made a mistake, stubbornly insisting on opening the show with a letter from Pasolini to Livio Garzanti; as was then proved to be right, Massimo thought this was too abstract an opening, he wanted to dive directly into the matter, without going for such literary critic's subtleties. So this is how we built the opening monologue that Lino performs so well, and every evening he does it better, because he is an extraordinary actor who always allows himself room for improvement, thinks about what he does, and listens.

The *narrator* he embodies in the show has two natures, in his tale there are a systole and a diastole; at times he flies high and presents the public with bird's eye views of the "wonderful and miserable" city, and then like a hawk, he swoops down, and there he is, next to Riccetto and the other *ragazzi*, not hidden amongst them, but exactly next to them, and the language of theatre becomes an extraordinary opportunity to clearly convey this ethical and aesthetic position.

Another topic of discussion which arose quite naturally, was that of Luca Ronconi, because obviously for Massimo, but for me too, the *Pasticciaccio* by Ronconi (which was staged at the Argentina) is an unsurpassable model of dramaturgic elaboration of a novel. But then, we still had a little time left to tell about the night of the premiere. The auditorium was full to the brim, Lino and the other *ragazzi* were like arrows ready to shoot. Finally, after months spent thinking about this very moment, everything starts: ten seconds into the show, half a minute... but everyone lifts their eyes to the ceiling, someone in the stalls is already standing up! The earthquake shock, very long, terrifyingly sways the enormous crystal chandelier hovering above the audience's head. The firefighters took the situation in their hands, while the people flooded the foyer and the square, just like after the shows. Of all the times and places, did it have to happen this very moment!

The night of the premiere! But such is our life, a never-ending series of events assailed by all kinds of unforeseen circumstances. I am myself here in Belgrave Square, tonight, after having taken the last flight of the day, as the later one got cancelled due to a summer storm.

I will always remember Lino, in the thirty minutes of confusion following the shock, sitting on the edge of the stage, trying to keep his focus in the eye of such an emotional cyclone. To say that unexpected circumstances and setbacks have their own kind of beauty sounds quite hypocritical, I always wish everything to go according to the script. And yet, how could I not admit it? It is precisely the unforeseen circumstances and setbacks that make, of everything that actually happens, a sort of miracle.

Hanif Kureishi on
Italo Svevo
Hanif Kureishi

Well, I have to say that when you asked me to speak about an Italian novel I was very nervous, not having read that many Italian novels. I have more or less stopped reading novels altogether and I've become very happy watching television. So I was rather shocked by this demand on me and I thought that I should, as we say in London, man up and sit down in a room and read a book, but I was rather dreading the whole experience. Anyhow, I finally sat down and I read

The Conscience of Zeno, a book I've had in my house for many years, I've walked past it every day, it was looking at me, so finally I sat down and read it and I have to say I really enjoyed it, actually. It really is a comedy, it is a comedy about us all, by which I mean actually it is a very intelligent work, it was written by a man who is supposed to be writing down his thoughts and his memories and his impressions for his psychoanalyst and he is very sceptical about psychoanalysis but anyway he writes this note, which turns out to be the book. [...]

I was thinking at the beginning of the 20th Century Freud published three remarkable books, one about dreams, a whole book about jazz, and another one about complaints on everyday life, *Psychopathology of Everyday Life*. All of these three books are really telling you one thing: which is you are not who you think you are. In fact, when you are living every moment of your life, getting out of bed, having your breakfast, going onto the street, going to work: the whole day it's a whole series of mistakes. You have a dream in which you might imagine you are being killed by your father, then you get up and you'll make a mistake, you'll ring up the wrong person, you'll ring up your mistress instead of your wife. So these three books tell us that our lives actually are penetrated, every single moment of every day, by absurd actions or by actions dictated by what we might call our unconscious. A man goes into a restaurant with his mistress and instead of saying "Can I have a table for two?", he says "Can I have a bedroom for two?" and we make these mistakes all the time because we are repressed, and what we have repressed comes back and shows itself up because our wish is so strong. It seems to me that The Conscience of Zeno is an illustration of a man whose life has been made entirely farcical by his own unconscious. So he meets a man who has four daughters and he is in love with the first daughter, then he falls in love with the second daughter and then he falls in love with the third daughter, while he doesn't like the fourth daughter. And of course the only one who loves him is the fourth daughter. And he marries her and she turns out to be the nicest of all. So his whole life is a series of mistakes. I'm going to begin to believe that this man is a man who has no interest over his own life, he can't do anything he wants to do in his life because he's being sabotaged by his own unconscious which in a sense wants the opposite of what he wants. So the book is a kind of farce but also an analysis of what Freud began thinking at about the beginning of the century which is we are not who we think we are.

Ben Okri on Italo Calvino
Ben Okri

I discovered Calvino rather late in my literary life. And that's because I began to write very early. I think one's writing in parallel of one's reading, in a way. So my reading began with a kind of solid realists, naturalists, if you want to quibble about the phrases. People like Maupassant, Chekov. People we are taught at school, like Shakespeare, don't count. It is the voluntary reading that really counts. I had already started writing and had written quite a few books before I discovered Calvino. But Calvino is one of those names, let's just say he is a presence. He is three things: a body of work, a presence and he is a kind of a cloud of ideas. You kind of encounter Calvino. He is part of the atmosphere, he was and still remains so. He was such a mysterious man, such a beautiful name. His two names, I always find quite rather suggestive, Italo, which is very close to Italy, Calvino, if you are interested in religion and Calvinism. There are many things there. First of all, there is the neatness in his writing. There is the fact he himself mutated from being a realist writer to become a metafictional writer and the fact that he began writing about the war, writing about when he grew up. A torrent of ideas. I came late when reading Calvino for the first time, I had written two books and a book of stories. The first book I discovered him by was *Invisible Cities*. I was drawn to *Invisible Cities* partly because of its title - it really was a beautiful title - and partly his reputation, the way people spoke about him and to read *Invisible Cities* for the first time is for a writer to have your literary status almost immediately altered. The main current of our own literary culture tends to favour the full narrative, the characters, the plot, stuff like that, thoroughly respectable stuff. And then you come up on someone who is able to give you this great enchantment but in a very oblique way, in a way that compress his intelligence, clarity, density, richness, beauty, poetry, they come all at once. Calvino gets you to focus, he compresses your perception. Every sentence of his work is resonant and it is not by accident. He is a master of the short books. [...]

Invisible Cities is a poetic meditation on the nature of reality, the nature of culture and the nature of science. The visible cities are not to be seen. They are too visible. What is visible is hidden to us, another strategy is required to see what we see, and that is to see through a mirror or through a polished shield with which the head of the Medusa can be cut off. Reality is hidden to us because it is more than we see. Calvino always goes on about that. It is more than we know. The true nature of things is hidden from us. Maybe the best way to go here is through the cliché way. The hidden way, the unseen. *Invisible Cities* is a novel about fractures and fractals, crystallography and mathematics, symbolism, sign interpretation, synecdoche and metatexts. The world is a metatext that calls for highly unusual method of reading. The narrative in *Invisible Cities* is indirect, it happens in the margins. The novel is framed within frame, which is also framed in another frame. Some of these facts are startling when they are interpreted casually. There are fifty five little narrations. Eleven subdivisions of themes and eleven, as we all know, is one of the great prime numbers. It is also a magical number, not only in mathematics, but in "maths-magics" too, and in the kabala metaphysics. The perfect number in the Pythagorean system is ten. The ten is called the divine "deca". When you go beyond ten to one, you enter into what I call the great circularity. There are fifty five narratives, as I said. Numbers are crucial in this. There are subdivisions. The fifty five narratives. Add five and five get ten. Ten is the completion of a cycle. Eleven begins it. It is like the one in *One Thousand and One Nights* that Borges was on about, that one makes all difference in a kind of a hint of infinity of narration. Five is a note of the pentagram which ultimately symbolises that element beyond the four elements of earth, fire, and water and air. The fifth inner secret, regenerative principle.

When you consider all this secretive mathematical elements of the book, one can only come to the conclusion that one of the things Calvino is doing here is hinting at the novel both as a text for looking at the world but also at the text with the possibility of regenerating it.

Cities that Marco Polo talks about are really the one city, which is Venice. Which gives me all kinds of meditations. If Calvino is telling us about fifty five narrations, that's really indirect and secret stories and secret narratives about the one city. What is it telling us about our perception of the world? We actually go out into the world, we travel far and to many places, but actually what we see is shaped by one archetype of city that we carry inside us. One archetype of place. He also hints at the idea that we see the world really through one secret world.

In writing *Invisible Cities* (1972) Calvino drew inspiration from the book *The Idea of a Town* by the architect Joseph Rykwert. Although the book was published in 1976, a special issue was included in the magazine Forum in the late 1950s, which came to the attention of Calvino.

Elif Shafak on
Primo Levi
Elif Shafak

It's a privilege to have this conversation with you about this author that I respect enormously. Not many people might know this in Italy, or around the world, but in Turkey we don't have many readers, we have a relatively good translation mechanism, so 40% of the book published are translated by western languages, so in a way we read more western literature than European readers read Turkish literature. And the reason why I mention this is because you can come across, you can find Primo Levi's work in Turkish as well and so my reading of him came from Turkish and from English and it was mainly his autobiographical work that struck me and stayed with me. Of course *If Not Now, When?* even though it's a work of fiction there's also autobiographical element there as well. But I think *If This Is a Man* was the one that resonated strongly with me. It cannot be read from beginning to end and to cover. But you need to go back on that, to digest it. I think it's a book that stays with you for a long time and then you go back to it. And in my mind it's a book that has multiple doors, takes you in and accompanies you afterwards.

When we think about the... in Auschwitz camp that Primo Levi is critically evaluating from there all the way through his life, because he was very much aware that life is a lottery and the fact that he survived the camp was just a coincidence of course of the fact that he was a scientist, he learnt German and all these things helped him to survive but there were many others who had the same qualities and didn't survived and he was very much aware of this. And in the last days before the camp was liberated as you know there was a death march, the healthy prisoners were sent to this death march and only people who were going to die, the most sick were left on the camp territory, and he coincidentally had gotten so sick that he stayed there. Had he been included in the death march, he would definitely have died. So he was a man who because he doesn't believe in religion, in that way he doesn't believe that he has been chosen because he's better than others [..]. He is very much aware of the chaos, the injustice and the randomness, the lottery of life. So how do you heal yourself? I think that' the question. In my opinion, for a mind like him, right thing is of course healing, but that doesn't mean that once you write about it, you leave it behind. The fact that he can write about it also means that you're constantly cutting yourself and remembering and allowing yourself to remember. To me this is an interesting dilemma, I have spoken with survivors of the Armenian genocide, second generation, very old first generation and third generation, and it's so interesting to see, I've listened to all of these histories, as well direct account of the first generation, and neither of them, even though they have suffered more obviously, they're not as angry, because they have met good turns, bad turns, there's a complexity to their approach. The second generation is somewhere else, because they just want life to move on. It's the third generations, the grandchildren who have the strongest memory. So we have a new third generation who carry the memory of their grandparents and is some ways they can be angrier, because they don't remember those daily details that somehow give the survivor even a sense of even humour under the darkest circumstances. And you see that in Primo Levi as well. Those details that he scatters, one day he thinks

about the weather and we're there in Auschwitz, so you see what I mean.

Ali Smith on
Giorgio Bassani
Ali Smith

About five years ago, I found a new translation of the book, *The Garden of the Finzi-Continis,* by the poet Jamie McKendrick, I read it and it was like reading the novel and being thrown into a two-dimensional understanding for me. Then I didn't read anything else, until I was writing a novel called *How to Be Both*, which I knew it was going to be about frescoes, but I didn't know what frescoes. Well, I knew about the structure of frescoes, which is that the structure of the building has a painting built into it, rather than on it. So that if you take the fresco off the wall, you have to take a chunk out off the wall. [...] I didn't know anything about Bassani, about his life and it was quite hard to find anything in English. So I read *The Garden of the Finzi-Continis, The Gold-rimmed Spectacles,* and I read *Five Stories of Ferrara* and when I read that book I was stunned to silence by the majesty of this writing. It just stunned me with its uncompromising about the story of this place, building up slowly to the point of love and mercilessness. But also about the habit of the people in Ferrara when the laws came in in 1938, which said that the small Jewish community was excluded. And then, as I read on, I realized that that's what

Bassani is writing about, exactly the same way as a fresco structure, as an open narrative to us as he holds the whole time and the whole place. [...]

Bassani knew that there's a taking to task of despair in his work and this is why I found him such an important and crucial writer. He goes through despair, he doesn't compromise about despair, he will not let you go back to despair, he wants you to know how appalling it was. And then he shows you continuance. Puts all these bricks all together and says to look at this sequence, at the way this sequence work and at the way things never stop being able to change. That's what he acknowledged about his own texts and changed them, and edited them and took out parts he didn't like. He was constantly reworking through his works, this one large work, which at the same time is a work of continuation, communication, contact and connection among his works. [...]

Many of his stories start in a cemetery, just like *The Garden of Finzi Continis,*-in fact, the cemetery is the garden- and then you get to the final book of stories that is called *The Smell of Hay*, and that's because in one of the stories there's the description of the smell as you're going to a funeral after the long grass has been cut, so that you can bury somebody. When I was working at the introduction for this book of stories, I came across the word aftermath and I was thinking about the notion of aftermath for this particular collection in which Bassani is thinking about how to meet the despair. Aftermath as a word means the grass that grows after you've cut the grass. That's the etymology of aftermath. Which makes me think that he knew exactly what he was doing with *The Smell of Hay*, because you cut the grass and there's always more and more. [...] He says: "The despair is true, however we live. The dead don't live, we live. And then we die". [..]

Bassani spent his latest years editing Ferrara's references into his books most definitely with the real streets and the real maps. [..] It excites me that when you read Bassani's books, you're also in the world, the real world. The books and the real world are not separate things [..] Bassani wrote about how in love he was with Ferrara, to which, if he goes back, he's always the Jewish boy who did not have the same destiny as few people of his community. He wrote about how much he loves Ferrara's red walls, like lovers love lovers. [..]

London: Pieces of a Family in Pieces
Elisabetta Rasy

Of all my book presentations, I will never forget the one that took place in London in September 2017. It sounds cliché, but it is true. It's not that I usually forget my book presentations, I remember them all (well, perhaps not all of them…). But really, the one at the Italian Cultural Institute of the British capital has been particularly special. It came about by chance, as it often happens with happy coincidences. The Director Marco Delogu had, not to my knowledge, given my book *A Family in Pieces* (*Una Famiglia in Pezzi*) to the Italian Ambassador in London. My book's title is *Una Famiglia in Pezzi* - which perhaps a bit optimistically relies on readers realising the difference between the Italian phrases "in pezzi" (in pieces, separately) and "a pezzi" (broken into pieces, shattered) - because my family is actually composed of elements who are different by origin, nationality and individual destiny, who got together, to eventually detach themselves from each other and go their own ways. A so piece by piece, that is by fragments, respecting the autonomy of each individual story, I wanted to tell its narrative in a bracket of time going from the mid 1800s to the mid 1900s. Featured in these fragments, is an English diplomat who left from London and ended up in Thessaloniki, as well as various characters from the Neapolitan branch of the family, which crossed ways with the Anglo-Greek one from my grandparents' times.

Delogu must have thought that, him being a diplomat and being Neapolitan, the Ambassador Pasquale Terracciano would have been tickled by the topic. So it really took me by surprise, of the good kind, when I learnt that, even during these times of Brexit, the ambassador had found

some time to read the book and take some enjoyment out of it. And I was even more surprised when Delogu told me he had agreed to present it in London in the beautiful building of the Institute on Belgrave Square.

It goes without saying that I got to the afternoon of the presentation very curious and also a bit unsure on how I would have created a dialogue with Terracciano. I had of course done some research into the diplomatic activities of my great-great-grandfather, but I had not been able to find out that much about it. Conversely, the ambassador explained how the diplomatic world in the 1800s worked, revealing great knowledge and with great clarity: it was a brief history lesson on diplomacy that everyone, myself first of all, but also the audience, followed with great interest, as the subject is as important as it is relatively unknown. But my greatest satisfaction of all was when Terracciano, revealing himself as an attentive reader and a Neapolitan who is very much aware of the customs and traditions of his city, told us how he had met many ladies of the Neapolitan bourgeoisie who reminded him of the grandmother I tell about in the book. Why was that a satisfaction? Because, in a century that seems as far away from the previous one as two distinct geological eras, all the readers of the book I had spoken to until then had found peculiar, if even unlikely, the portrait I painted of this grandmother dedicated to the rites of friendship and the painful pleasures of the game table (and of her entourage), faithful to a lifestyle where *joie de vivre*, society life, music and kindness were to be nonchalantly protected, more than family heritage.

With grace and irony, the Ambassador succeeded in giving a small lecture on the day-to-day life history of a city everyone talks about, without really knowing it, or relying on the rhetorics, cheesy or noir, that periodically come in vogue. Thus the presentation turned into a dialogue where, starting from the book and then putting it aside, we immersed ourselves in themes we ourselves are passionate about and the very attentive public was passionate about: the vicissitudes of Southern Italy, its complex integration with the North, the strange mix, since its very origins according to the Ambassador, of its inhabitants, their characters, and their attitudes. I learnt many things that afternoon, not only about myself and my writing.

The Identity and the Writing
Giorgio Van Straten

I did not feel completely at ease before entering the Italian Cultural Institute of London last November.

Partially it was because, I promise you, it is always a bit strange to enter one Institute while managing another: you always end up making comparisons, you are jealous of the things you see and you don't have, and you are secretly proud of what you think works better in your Institute. Essentially, you enter into competition.

The second reason why is that, awaiting me, was a conversation in a language that is not my own and that, even after two years of constant use, still makes me feel awkward. This was heightened by the fact that, after a long time spent in company of American accents, the first impact once on British soil was that I could not understand a word of what was being said to me.

The third reason was that amongst the public there would have been my daughter Rebecca, and it's never easy to submit oneself to one's children's scrutiny.

But all of this lasted just as long as it took me to step inside Belgrave Square, because I was being awaited by two people who immediately made me change my mind on the whole matter.

One of them was Marco, a colleague, certainly, but above all a friend who made me feel at home in those rooms, just like in a private living room; he led me to his office and we sat down in front of each other, chatting. I thought we were both so lucky to be working abroad to represent Italian culture, with the opportunity to show, with great freedom, what we considered to be the best of our Country. And yes, it's true we also complained about the thousand complicated bureaucratic chores we had to face every day, in the same way as a football player complains about training: at the end awaits him the thrill of the match itself.

The other person was Ian Thomson, an English writer, author of a great biography of Primo Levi, who was going to do a panel discussion with me about my lost books.

He immediately started to ask about, and comment on, my stories, in a conversation that, started in Marco's office, continued uninterrupted in the auditorium where the audience was awaiting us (including my daughter and son-in-law, whose judgement I didn't fear anymore).

Ian perfectly understood what I had wanted to achieve by telling those stories, and I perfectly understood his perfect English and his perfect British accent (but a few days later, at the cinema watching Dunkirk, I would again find myself unable to understand the movie characters).

While I talked I realised that the first and last of those lost books had been destroyed precisely in London; here were the lawyer's office where Byron's biography was incinerated and Sylvia Plath's last home, at 23 Fitzroy Road, where she killed herself (I thought I would go and visit the site while there, but in the end I did not get round to it).

The occasions where one is able to put together all the various pieces of their identity are rare - in my case, writing, my job, and my dearest ones; they are the occasions bringing everything full circle, which often happens in books, but so rarely in real life.

For me, it happened that night, at the Italian Cultural Institute.

Life is broad
Alberto Rollo

I thought I had cautioned them against having my flight arriving at, but most of all departing from, London City Airport. Only a year before I had been left stranded there for two days (two days!) waiting for the fog to lift, before I could go back to Italy. Since then, London City Airport has remained for me the epitome of anxiety, the symbol of uncertainty, a measure of our dependence on weather conditions. But then this time I arrived at, and departed from there, without any accidents.

The Italian Cultural Institute had invited me to take part to an event with Paolo Rumiz - about his *Cyclope* on which I had worked on two years before at Feltrinelli. We had to take this unnamed Mediterranean island to London, make them feel the storms, the windy colours, the solitude and the birds' flight in Belgrave Square. With Paolo one could go anywhere and conjure out of thin air an alpine refuge, a hornbeam fire crackling in an Apennine fireplace, a lost path in the Balkans, an apple flavoured with love,

Hannibal's shadow, Homer's footprint, a bicycle's resilience and the destiny of a soldier from Trieste during the First World War. It's easy, it's a beautiful experience.

And so I arrived, I hugged Marco Delogu, who was playing host the way only he knows how to, and I waited for my 'mate' (we often call each other "*compare*", mate, in Italian). When Paolo arrived, together with Irene, his marvellous partner, we took refuge in a sort of corridor-office. There's nothing to prepare, we were going to eyeball it, but it made us happy to stay there, waiting. There was a good atmosphere in the auditorium, too: I tried putting into focus, if he even exists, the Italian in London (so widespread before Brexit, but also after, and maybe forever), but here there is not reason for it to emerge as a category; here the Italian is at home, from here he can measure his belonging to his country of birth and to his country of residence without any anxiety. Or so it seems.

There were some friends present amongst the audience. London for me is a long-standing, beautiful habit of being with Simonetta Agnello Hornby and Enrico Franceschini. Benedetta Cibrario came back here, we like to reminisce about a long walk along the Thames, and beyond, towards St Paul's cathedral, where I heard her new novel strengthen its roots, deep down. The brave Caterina Soffici moved to London, the one who told of the Arandora Star and the Italian immigrants in London during World War Two. I could see amongst the public also Marco Mancassola, who is working on the Festival of Italian Literature in London, and has been living in this city almost his whole life. I like to think I was there with all these authors 'of mine', where the possessive pronoun is more affectionate than professional.

What did I even know in the 1970s about the Italians in England: I had come by Lambretta (a motor-scooter) with my friend Maurizio and we found a cot in a public dormitory, we accepted hospitality in the homes of wild hippies, in the rooms of girls studying Economics. We happily went on an empty stomach and, penniless, we walked up and down the West End pushing back getting into the theatres for when we'd be older.

At the end of Paolo's Mediterranean spells, Marco Delogu invited me to explain why I left the publishing house Feltrinelli where I had worked for twenty-two years: amongst other things, I said that life is large, yes I employed this adjective precisely, "large", rather than long, and it's healthy to dedicate oneself to different experiences, looking out at the world with eyes not accustomed to well-known light. Metaphors. But shortly after, a young collaborator at the Institute told me that he had never thought about this quality of our existence, that of being "large", and thus receptive, and thus not in competition with time. I hope I managed to plant a seed, and to mitigate a little that anxiety that makes us run around all the time.

Conversely, we ran, Paolo, Irene and myself, straight after the event, to the Reform Club in St James, where Simonetta Agnello and Marco Varvello (another important component of Italy in London) were waiting for us. The restaurant of the club has very strict opening hours, and we arrived just in time. Simonetta, a member of the club, entertained us, she was at ease, as usual. The great thing about Simonetta, is that she has lived London as a lawyer, and you can feel it; that she raised British children there, and you can feel it; that she never stopped nurturing her pride for being Sicilian, and you can feel also this - and it's beautiful. With her I got to know Brixton Market and the Dulwich Picture Gallery, Horniman Museum designed by Charles Harrison Townsend in the late 1800s in South London, and the 1700s architecture of Nicholas Hawksmoor (St Mary Woolnoth, in the City, is a building which managed to conquer a disquieting role as the backdrop of my dreams). From Simonetta, I have also learned not to plate a dish, but this is a topic for another time.

The Delogu residence - a flat which I think is connected to the Institute, but is accessed from Montrose Place - smells like home. In the morning we have breakfast there together, Paolo, Marco, his wife. I try asking myself some questions about my being there

to activate, at the best of my abilities, the attention and sensibility to make of a place a promise of a cultural community. Marco Delogu "is born" a photographer, and therefore knows how to look. He is here perfectly placed. He can look at the city and, most of all, those who live in it. I hop on a cab that is driving around Belgrave Square amidst a silence that is heightened by the hour and the milkiness of the buildings. Perhaps the young man from the night before - and, with him, the young man riding a Lambretta I have been - is still thinking about that "large" life, how much he can fit into it, starting from here, from this neighbourhood of embassies. He is lucky. We are lucky.

Pereira Maintains: remembering Arturo Toscanini
Gaia Servadio

I've lived in London for sixty (plus) years and I've known the Italian Institute of Culture for sixty (plus) years, it's an old friend of mine. I set foot in it for the first time when its director was Gabriele Baldini, a charming man of letters and musicologist. He was extremely cultivated and a great Shakespearean scholar. To my great surprise, his wife, Natalia Ginzburg, drew me out of a corner – I was extremely shy then – and told me how much she disliked London and living in London. She disliked the British because they were (I believe) too similar to her, and they painted their buses and telephone boxes red because London was a colourless city.

Now there's too much colour, and in fact the red phone boxes have disappeared and everyone stares at their mobile, which is a manna from heaven for the British, because they don't like looking people in the face.

This time I'm going to the Institute for music, and specifically to celebrate Arturo Toscanini, and we've invited Alexander Pereira, director of Teatro alla Scala, to talk about him. I tell Ambassador Terracciano that La Scala, Arturo Toscanini and Pereira are national institutions of Italian culture – I have to add that I am an opera fan – and indeed it was the ambassador who subsequently presented him to us. He spoke to us of Toscanini, a man of the people, a musical genius, an eccentric figure without being aware of it, an upstanding person who slammed the door of La Scala in the face of the Fascists, was beaten up by Starace's thugs, and abandoned Bayreuth when the Wagnerian festival banished the Jewish conductors.

By the way, this is a true story: Hitler ordered that Mendelssohn's image – and music – be removed from the Third Reich, even from the façade of the Berlin opera house. All the great composers were there: Rossini, Liszt, Brahms, Verdi, Mendelssohn, Wagner, Bellini... But the team of builders did not have a clue who was who, and of course there was no Google to consult. But there was Goebbels, who knew

much as they did. However, Hitler's orders had to be followed directly. "Destroy the one with the biggest nose." They obeyed, and the bust of Wagner disappeared from the façade.

That morning, at the embassy, before the debate at the Institute, we spoke among ourselves and to the new artistic director of Covent Garden, and I sowed discord by positing that the problem (or one of the problems) with opera music is the directors. Today there is no Strehler, Visconti or Jean-Pierre Ponelle, and the German school that is in vogue, imposes eccentricities that have become conventions – a contemporary habit – with the Gestapo in every *Ring* cycle and villains resembling Stalin or Hitler. Scarpia is Lenin, Violetta dies of AIDS, and Gilda is a tart. Not to mention *Aida*, where "the Egyptians" are Palestinians, and so nothing is clear any more. We have forgotten what Verdi and Wagner preached, and namely that opera is theatre.

Another problem of contemporary opera is diction, and not just in the case of non-Italian palates (or French ones, as it's extremely difficult to sing opera in French). There are sublime sopranos, but you can't understand a word of what they're saying ("Only she knows what she's singing", Donizetti wrote in a letter commenting on the performance of his *Elisir d'Amor*; Donizetti was a lovely man).

But let's get back to Belgravia.

Everything went well at the Institute and Pereira embodied the figure of the Mitteleuropean nobleman with ease and nonchalance, partly because he is a Mitteleuropean nobleman and we could have run into him at Alma Mahler's house or at tea at Zemlinsky's.

A few days later, while I was in Milan for work, I popped into La Scala to enjoy a good *Simon Boccanegra* conducted by Kuhn (better than the version I'd seen at La Scala two years earlier, directed by Barenboin, but then Barenboin and Verdi don't much like each other. However, it was not better than the one conducted by the sublime Pappano at Covent Garden.)

The following evening, Sandro Veronesi, whom I'd missed in London, was at Feltrinelli after having presented Richard Ford, who has now been placed on the pedestal of the "greatest writer"; he's a likeable and very dear man – Ford, not Veronesi, but Sandro Veronesi too. The literary world is small, and while it is becoming globalized, we still all know each other.

To get back to Toscanini, here is an example of an international figure who, despite having the advantage of speaking the lingua franca – the most *franca* of all (i.e. music) – and, despite shrieking and telling the members of the orchestra that they were murderers if they did not play properly, won the love of the whole world. Claudio Abbado's father, Michelangelo, violist and violinist, played for Toscanini and told me how

his parents adored little (in terms of height, and height alone) Arturo. "The more he told us we were idiots, the more we tried to please him because he was trying to bring out the best in us, he did it for us, and for Music."

I have managed various "musical" events for the Institute, a Verdi week for the celebrations, my biography (or rather, my biographies, as I've written two of them) on Rossini were presented by Antonio Pappano, who talked about music – and everything – with wonderful and enviable ease and knowledge. There was also a concert of mini-lieder that Rossini had written in his old age to verses by Metastasio, *Mi lagnerò tacendo*. It was Rossini who was complaining to music.

An unforgettable image at the Institute, an image that is now blurred in the mist of times, is that of the magnificent Mario Soldati who, blessed by a lack of political correctness far ahead of his time, replied to the questions of tedious and insistent *sessantottine*: "*Cristo! Cazzarola!* I don't understand a word of your question, try to speak Italian… and anyway it's not even a question, it's a discussion… how do you expect me to answer a question that's not a question and doesn't even make sense…"

Many times, finding myself in Soldati's shoes (but without his verve and courage), I've remembered his adorable tirades and smiled.

Ping-Pong and Chocolate

Daniele Derossi

With the exception of the Mexican restaurant at the bottom of Portobello Road, the Italian Cultural Institute is the place I visit the most often and get the most enjoyment from. Since Marco Delogu became its Director, for myself, as for many other Italians in London, the Institute has become a steady beacon in the urban geometry, and a standing appointment on my calendar. At the Institute I attended book presentations, film and documentary screenings, I took part to the evenings on contemporary theatre enlivened by Monica Capuano, I listened to Hanif Kureishi talk about Italo Svevo, and Giorgio Agamben about Pulcinella; I've seen Marcello Magni transmute into an Arlecchino and Sonia Bergamasco become a convincing big mole and I have played ping-pong. Yes, because at the Institute it is also possible to participate in a ping-pong tournament while in the adjacent room Alessandro Scafi of the Warbourg Institute holds a seminar on the philosophy and theology of the Divine Comedy.

Perhaps it is precisely the serrated rhythm of ping-pong, even more than tennis, which Veronesi held so dearly, that illustrates the close succession, or rather the overlapping, of the events promoted by Marco Delogu. It is not by coincidence that a ping-pong table made up of books has been chosen as the symbol of the first Festival of Italian Literature in London which has transformed for two days the late-Victorian Coronet Theatre in an arena of bilingual dribbling. Beyond the quality of its cultural propositions, what makes the Institute a unique place is the convivial spirit with which Marco welcomes his guests. Each and every encounter is followed at the very least by taralli and wine, if not by proper dinners and memorable chocolate cakes, so that participants have a chance to chat with old friends and making new ones. For instance, in occasion of one of these events, I met the publisher of my next book. My wish and my hope is that the activity of the Institute will keep progressing along these lines: frenetic, convivial, passionate.

It Comes to Mind...

Paolo Nelli

This year I am celebrating my twentieth anniversary of living in London and I can simply say that, I too inevitably have lived but, most of the times, I did not realise I was doing it. Luca Carboni comes to mind, who, in a song he used to sing when I had only recently arrived in London said «Sometimes I am afraid I will never change again».

Cities have their own breathing rhythm, they live, they change. A city that is always identical to itself is a dead city, an archeological site. In this respect, today London, as has been the case for centuries, is particularly alive and this narrow-mindedness we are witnessing, this going back to a past that probably never existed, cannot belong to it. It would radically change its nature because it is in the continuous exchanges with the new arrivals that it has become what it is today. A BBC documentary comes to mind, where they said that the Florentine artist Pietro Torrigiano, after a joking remark from Michelangelo, while they were copying Masaccio's frescoes in the Brancacci chapel, reacted by punching him on the nose. Hence Michelangelo's broken nose which can be noticed in his portraits, hence Torrigiano's exile from Florence, hence his arrival in London where he sculpted the funerary monument in Westminster chapel, thus introducing, according to the BBC art historian from the documentary, Renaissance to England. There are so many reasons to migration. There are so many reasons to London the way it is today. London changes with every new arrival, and those who arrive change with London. This is true of every city. In my opinion, the story of each individual migration would be worth a story.

While I'm writing, the fact that here, in London, I have changed more houses than bicycles comes to mind. The one I use today to move around is certainly better than the one I first found on arrival and in this respect too, to give one more example, I have witnessed another one of London's transformations: first with the

independent bicycle shops closing down because they could not sustain skyrocketing rent increases, making space only so the big chains could swoop in, and then the rebirth, the cycle paths, the mayor's bikes and now, from home (I live close to Shoreditch Park) I can reach several shops in a few minutes only, each fancier than the last, where, while you wait, you can drink a cold-pressed juice at the bar, or a coffee brew from a local roast, or an artisanal beer, and where both the employees and patrons are finely tattooed, wear hats with Bianchi visors - in the vintage model from the original Giro d'Italia in the 1970s - and have long and perfectly groomed beards, and you, who's been using a bike your whole life, now feel a bit out of place in that kingdom of branded wheels. In fact some wheels, on their own, are more expensive than my entire bike, which is a perfectly acceptable specimen.

At the Italian Cultural Institute I can usually park my bike on a street pole only a few steps away from the entrance steps. If the pole has already been claimed, I walk across the street, by the florist's van, and there, there are the proper parking spots where to lock it - just around the corner from the white buildings of this London of embassies and ultra-wealthy individuals. It's somebody else's London, instilling a sort of money-heavy awe, and it comes to mind that the first time I climbed those steps I was incredibly anxious when I realised

I was supposed to ring a bell to enter the Institute, I asked myself whether I was appropriately dressed. I have changed in this, I have more experience with places that are different from my usual haunts and I can adapt also to those I have never belonged to and, perhaps, never will. Either way, without having to quote Pirandello, there is a big gap, often an unbridgeable one, between what we feel and what the others see and think of ourselves.

These are steps I now climb with the familiarity of someone who feels at home. The Institute is part of my London and of the many who, like myself, visit it regularly, that live it and together make it a lively place. I have attended several events in the past year, but right now Gramsci's *Prison Notebooks* come to mind. It's unbelievable how many people, and how many British people in particular came to the opening night of that exhibition. There was a queue to go upstairs. So I came back one afternoon and, at leisure, I paused to observe and read such tidy, regular, neat handwriting. Even in the erasures there's nothing amiss. This was a man who never lost his self-control, not even when incarcerated. Or one of the evenings dedicated to Primo Levi comes to mind; it must have been May, and amongst other things, depression was briefly touched upon, and his English biographer told how the writer confided her that during his youth, before Auschwitz, he had

thought about committing suicide, and he thought about it other times during his lifetime, after Auschwitz, but never, not even once, he thought about committing suicide in the eleven months he spent in Auschwitz. This is something I found very powerful, incredibly deep and yet immediate.

To go back home, I cannot avoid passing by Hyde Park Corner crossing, a stormy sea for those moving around by bike. Several streets feed into it and one needs to possess a certain recklessness to take possession of the lane going towards Piccadilly, amongst buses, taxis and cars overtaking you from right and left. When I reach the traffic light, if it's red, I push down the kickstand and breathe a sigh of relief. To the right, in the square dedicated to war memorials, just next to the road, there is a David bronze who, by position and his sword, is reminiscent of the one by Donatello, even though his perfect body is sturdier and, every time I see it, the epigraph on its pedestal comes to mind, which reads: "Saul hath slain his thousands but David his tens of thousands".

An Invite to London
Pietro Bartolo

An invite to London. Extending it to me, was Marco Delogu. I didn't know him but, today, I can say I have found a friend in him. I never had occasion to enjoy the beauty of that city before, to stroll along the Thames and to relate to the fascinating and, perhaps, or at least according to my imagination, reserved spirit of the Londoners. I felt so lucky, then, to be able to offer my testimony as the 'doctor of the migrants' in a context so far away from myself and my land, Lampedusa.

While on the plane, I could already feel, growing within myself, a strong curiosity, accompanied, I won't deny it, by a degree of fear. I was worried because I would soon meet a man who is illustrious in his field; myself, a doctor in the trenches so to speak, him a well-known director. On my taxi, going towards the city centre, I felt these feelings growing inside me. As soon as I reached him, my anxiety rapidly vanished. In front of me, I found a well read and humble man; such a noble pairing of qualities.

Amongst the fondest memories I have of those days, which I will forever cherish, there is the warm welcome I received. Offering one's whole self and one's home to a stranger confers the highest badge of honour to those who are capable of the action. I was given a whole room to myself in their home. Every day I relate to those who are so much in need of being welcomed. For those who arrive in a foreign Country, or in someone else's home, knowing that someone is there to help you, with so much generosity, is a precious anchor. The meeting with Marco left in me even more deep seated the conviction that I have always tried to translate into actions with my work: it is necessary to always be available to others, and in a selfless way.

Marco immediately introduced his wife and son to me. We talked about many things. He revealed his passion for horses and he told me about his father. Yes, Severino Delogu, a physician who took part to the redaction of the Basaglia law, which in Italy abolished psychiatric hospitals. This really touched me. I had a brother who was mentally ill, and since adolescence was in and out the psychiatric hospital of Agrigento. It was a true concentration camp, which I had occasion to discuss in my book *Tears of Salt* (*Lacrime di Sale*) which Marco strongly felt should be presented in London in that occasion. I was really emotionally touched to have in front of me the son of a great man who, together with Basaglia, gave back the freedom and dignity to my brother and all those people who were forced to live in inhumane conditions, just because they were different.

On the day following my arrival, I was to present my book at the Coronet Theatre. Once on board of the taxi, we travelled across the city and I had a chance to savour, although from a distance, the Big Ben and the Houses of Parliament at its feet, Buckingham Palace and, I remember it very well, a quiet green park dotted with small lakes with crowds of people around it. Unfortunately, the directions I had given to the taxi driver were wrong.

After such a long journey, I got off and dismissed him. In front of me, however, there was only a disused structure, and a rough sleeper who had made of the entrance his home. It was the old Coronet. Amidst the surprise and the fear of arriving late, I frantically looked for another taxi that could take me to my destination. Eventually, I got there on time and found an audience filled with anticipation. It was a wonderful evening.

The following day, the one of my departure, Marco took me for breakfast in a small café traditionally furnished. Later on, he asked me to pose for him for a few portraits. We returned home and he led me to a room that looked like a photographer's studio. It was only then that he revealed to me his passion for photography, and with so much pleasure I modelled for him.

I have fantastic memories of those few, but intense, London days. We parted with the promise to see each other again.

On the Festival of Italian Literature in London
Marco Mancassola

There are eight, nine of us around a table at the café on the first floor of a historical cinema near Piccadilly, we're drinking cider, wine, mineral water. This is the first real meeting, although some of us had been talking about forming a team for some time now, about developing a project, starting to connect and attract energies, anxieties, resources linked to a portion of Italian thinking in London that were going to waste.

London teems with dispersed energies. It's an enormous city both in terms of space and in people's minds, where moving around comes at a cost, connexions are unstable, encounters are numerous and very interesting, but ephemeral. If Brexit had not happened, it is possible that us too would have remained dispersed, not going beyond our vague intentions.

Brexit has been the shock, the catalyst that made us feel even more unstable, more helpless. The present challenge is of the kind no one can win on their own, and there, in that Piccadilly cafè we agree that we are going to react, with a modest contribution and with our own means, with a literary festival - a proposition that in many places, in the past few years, has proved to be an extraordinary powerful aggregator.

That night people in the tables around us were drinking pints from misted glasses, playing on their phones, eating pretentious gastropub dishes, leaving to go watch a movie on one of the screens, meeting for the first time after having chosen each other on Tinder, speaking in unidentifiable languages, coming and going, only our group obstinately held its ground until late, discussing until the venue was nearly empty.

We were two, at the very beginning, a few days after, in the office of the director of the Italian Cultural Institute. The soft light of Belgrave Square touched us coming in from the window. We were relieved that Marco Delogu immediately embraced the core idea of the festival, which is not so much that of taking a selection of Italian authors to London: this was already been superbly done, amongst its many other activities, by the Institute itself.

The festival was to have a more fluid, transnational mandate of research, an Italo-Londonese event that was going to bring together guests from Italy, from London, from Britain, and abroad, authors and journalists and testimonials and thinkers, some well-known voices and other younger, more radical ones. It would take advantage of London as a lookout tower to observe the present movements, to talk about literature and migration, Italy, Europe, politics, translations, dystopias, generations, feminism, global cities, of what novels and poetry have to say about these times we are living. It would be compact, it would take place over a single intense weekend, both in English and Italian with English translation, accessible to all the people of London: FILL, Festival of Italian Literature in London.

The Cultural Institute would make the project possible, becoming a co-organiser, providing us with means and aiding us to gather more. The Institute had the foresight to leave us of the ideational group autonomy; the squad of the Piccadilly cinema cafè, a group of volunteers that became bigger and bigger, to include over fifteen authors, academics, translators, publishers, workers of the field of knowledge, students, all of them Italian and stable or unstable inhabitants of this bulldozer city. The result stroke a balance between institution and project starting from the bottom, a case of collaboration that best matched the resources of each.

We were four or five, a little while later, when we went to inspect the Coronet, the impressive theatre in Notting Hill, an old Victorian venue. A labyrinth of passages and corridors joins the main theatre auditorium, the one where Sarah Bernhardt performed and where, a century later, they filmed the movie theatre scene in *Notting Hill*, to a studio-space with black walls and to a candlelit bar, where an old piano serves as the bar itself. The atmosphere was palpable. The venue had an immediate warmth to it. We sat down with Anda Winters, the director of the company managing the theatre, and she agreed to host the festival.

And so it progressed, over the summer; the adding together of a piece of festival after another, the outlining of the programme, of the graphic design, finding a partner and sponsor, the work with the press, that online and on social media, getting the word around in Universities and associations, fulfilling the technical and logistical requirements. At times, things seemed to be coming together rather nicely and easily so, at others, everything seemed on the brink of coming apart. Until a handful of days before the festival we were not sure we would be able to deliver the entirety of the budget.

But, a week before the festival, we were several hundreds at the fundraising party organised at Donna Fugassa in Dalston. We were expecting a hundred people, but five times that number showed up and occupied the square just in front, sipping beer in the warm evening and listening to the music played by the dj spilling out of the venue.

We were more than two hundred, on the morning of October 21st, at the special opening event at the Institute and then, at the Coronet, between the rest of that and the following day, at least a thousand-three-hundred. All of the twelve events of the programme were sold out since days. An Italian as well as polyglot, young as well as of all ages crowd flows through the foyer of the Coronet, attends the events, makes a stop at the bar for a drink, or to get a book signed by an author, or to keep discussing, listening to music, or to buy from the bar-bookshop.

Even when we were otherwise engaged, welcoming guests, journalists, or visitors, we had an immediate feedback of how things were going at each encounter thanks to the members of the team present in the room, who posted comments on our Whatsapp group and recorded the most

significant sentences pronounced on the stage.

Pietro Bartolo, author and doctor from Lampedusa, provoked a strong emotional reaction, when telling about his work with migrants in the Mediterranean. The audience listened to him intently. It was one of those moments when something stops in each and everyone's internal clock, to leave space for profoundly engaged participation.

Then there was the lively debate at *Italian Politics for Dummies*, with Christian Raimo and the political expert Jonathan Hopkin. Iain Sinclair discussed the present and future of London with Andrea Lissoni from Tate Gallery. There was a poetry performance in several languages and many voices, an original production for the festival, and the intense section on *The present is female*. Helena Janeczeck and Lauren Elkin confronted each other on *Citizens of Nowhere?*, a title derived from Theresa May's infamous sentence. Giancarlo De Cataldo and Hanif Kureishi conversed on TV series. We hosted *The secret history of Italian (and British) music*, and the many other events of the programme, as well as the cartoonist Zerocalcare who stuck around for almost two hours after his event ended, to sign books and draw for his readers.

Half a dozen other big cities have so far asked us to advise them on a potential local reiteration of FILL. Our main point is that the festival originated from the bottom, against all odds, in a very dispersive city, in a dispersive time. The ability to create connections is the main resource and the constant gym of FILL - be that organising a meeting between two people or finding ourselves in the company of over a thousand spectators, every time with a different collaborational framework. The experience of the festival finds its footing in the members of the ideational-organising group, the team of the Italian Cultural Institute, that of Printroom at the Coronet, the partners and the sponsors, the broader network of friends and consultants - Italian and foreigner, from London and further afield - who has been a source of help and advice, the people who came to the first edition and, we hope, will come back to future editions.

The first edition, that is FILL 2017, has also won the bet of being self-sustainable, so the festival has been able to make a small donation to a foundation for the victims of Grenfell Tower, which caught fire not so far from Notting Hill. At the time of writing, we are finalising the programme for FILL 2018.

The Tale of the Elf
Elio De Capitani
Monica Capuani, my wife Cristina Crippa, and I went to London for *Contemporary #9* at the Italian Cultural Institute, and decided to arrive a few days earlier so that we could go to the theatre.

London is beautiful and it's a great pleasure to visit every now and then, but it is the number of theatres and shows that you happen to see in the space of a few days that always transforms the experience of your stay. I envy Monica, who's a frequent visitor. It's good to go with her, as she's at home there, and the fact that the three of us have the same bent also helps. Indeed, we all love to throw ourselves into shows as mere spectators, stubbornly seeking the suspension of disbelief, a necessary (but of course not sufficient) condition to allow the mousetrap, as Hamlet calls it, to be triggered.

After all, as we were saying to Monica, theatre is a drug for us, and going to the theatre in London has always given us this sensation of broadening our minds and allowing our thoughts to run free. "Widen the area of consciousness" was the mantra of Ginsberg and the Beat Generation, and books, music, art and, above all, theatre are our drugs to discover the altered states of the mind.

Cris and I used those few days to explore a neighbourhood from top to bottom. This time we chose the Royal Borough of Kensington and Chelsea, which we hadn't bothered with on our previous trips. But, above all, we chose to spend three evenings at the theatre in the West End. The first show we saw was the multiple award-winning *Oslo* by J. T. Rogers, just arrived from America, and the following evening *The Ferryman* by Jez Butterworth, which had moved to the Gielgud following its huge success at the Royal Court Theatre. Unfortunately, we did not manage to get into the premiere of *Heinsenberg* by Simon Stephens. However, by a wonderful coincidence, Stephens made up for it by coming to visit us in Milan in June this year, calling in at the Elfo for the rehearsals of *The Great Game – Afghanistan*. And perhaps he will return in the autumn, when we will stage his adaptation of *The Curious Incident of the Dog in the Night-Time*. However, we made sure we didn't miss *Apologia* by Alexi Kaye Campbell, who was present that day in the hall at the Institute, and was presented to us by Monica. On the occasion of the first Italian reading of the same text in Brescia, Alexi came to visit us at the theatre in Milan, accompanied by his partner Dominic Cooke, associate director of the National Theatre since 2013, following seven magnificent years as director at the Royal Court.

This was the prologue for the date at the Italian Cultural Institute, which was held in the fine building in Belgrave Square. The director, Marco Delogu, welcomed us to his enviable and very English adjoining residence in the hushed atmosphere of a family that revolves around a sleeping newborn. The entire Institute is beautiful, but for a digital addict like me, the well-equipped room on the ground floor is simply splendid.

British theatre was among the themes of the evening, which featured an encounter with the much-loved and respected playwright Mark Ravenhill, whose works *Some Explicit Polaroids, Shopping and Fucking* and *The Handbag* had been staged by our Teatro dell'Elfo, with the first directed by myself, the second by Bruni, and the third by the two of us together. We also hosted *The Product* during our Milano Oltre festival, with Mark in the role of actor as well as playwright. Many of his works have been brought to the Elfo by guest actors and directors, including Carlo Cecchi and Fabrizio Arcuri

For me, a particular highlight of the date at the Italian Institute of Culture was an improvised and unexpected moment of live theatre during the evening, which took the form of a dialogue from Edward Bond's *Lear* with Mark Ravenhill. But I'll talk about that later. Let's proceed in order. The encounter commenced well and I thought it was going famously, despite the arduous task of managing to discuss many subjects – with simultaneous interpretation – in a reasonable time. Following a lovely informal introduction by Delogu, Monica Capuani provided an outline, leaving me to fill in the details of my story. My work with contemporary British drama at the Teatro dell'Elfo goes back a long way, commencing in 1982 with *Class Enemy* by Nigel Williams, the first play that I directed. It proceeded with two fundamental works by Sarah Kane (*Blasted*) and Mark Ravenhill (*Some Explicit Polaroids*) at the turn of the millennium, and continues today with new playwrights, like Simon Stephens.

Recounting those splendid adventures was easy and very pleasant, but it was less easy to tell my nonetheless heartfelt story of a fortunate dual insight that I had when my vocation suddenly emerged between the late 1970s and early '80s, when I was not yet 30 – commencing with the reality, which we discussed in length with Delogu, of those difficult years and that very dark political moment in Italian history. At the time, I felt the urgent need to connect the theatre – which seemed to exist on a separate planet – to the life of those years, which we experienced with dismay. It was necessary to change the cultural climate in Italian theatre, both on the stage and among the audience.

First of all, obviously, by introducing the livelier drama of contemporary playwrights, but – and this was the winning move – by putting that drama into contact with an original and entirely Italian view of the theatre, director, actor, and stage, which I stubbornly pursued. Initially, it was my personal vision, but it subsequently became that of the whole Elfo, and my entire artistic life cannot be separated from my work there; my work building an art theatre that has spanned almost 50 years, which started as a small group of actors who were not yet 20 years old, and has grown until being acknowledged, in 2018, as one of the top three theatres in Italy, in terms of quality, and among these, the only independent theatre self-managed as a cooperative. It wasn't easy to achieve

this, and it wasn't easy for me to recount and convey all of this that evening.

I told how, during the first half of the 1970s, a debate still raged in the Italian theatre between the total opposites of traditional and experimental theatre, as though there were no other kind, while there was actually a middle way. It seemed as though the chain was completely broken, losing the necessary cultural link – the relationship with contemporary playwrights fundamental for 20th-century theatre, European and non-European alike. In order to repair that broken chain, it was not sufficient to stage works by some of these important playwrights. It was necessary, first of all, to build a new audience that supported them and adopted them. In order to achieve this, it was essential to create a new aura for contemporary drama in each show, and to use it to assert a new power.

While Mark was telling us what had happened in England, particularly since the early 1990s, that evening in London I tried to convey the power of those same shows in Italy, and when I realized I could not do so in words, I helped myself with some video clips of the performances. Wonderful clips, fortunately. Even a little piece of *Class Enemy*, from a video recording that I thought had been lost, with Paolo Rossi, Claudio Bisio and myself, all very young. The clip of the terrible hospital scene from *Some Explicit Polaroids*, with Cristian Gianmarini, Marina Remi and

Damir Todorovic (who sadly passed away in 2014 at the age of just 40), was very touching, and it looked to me as though the playwright agreed. The three clips from Sarah Kane's *Blasted* had a strong impact on the audience as well, but also on myself. The play starred a formidable couple of actors: Elena Russo Arman and Paolo Pierobon, at the Elfo for the last time, before his encounter with Luca Ronconi and his success as the star of the Piccolo Teatro.

The final video clip was our version of Tony Kushner's *Angels in America*, which I directed with Ferdinando Bruni. The play had, incidentally, just started a very successful new run at the National Theatre, and the re-runs finished on 19 August 2017. It was another hospital scene with Cristina Crippa (Ethel Rosenberg), me (Roy Cohn) and Fabrizio Matteini (Belize), who by pure coincidence had moved to London two years earlier, was present in the audience that evening, and was applauded together with us. We recalled the tears of the final splendid marathon run of the two parts of *Angels* five years earlier in Madrid, on 10 June 2012. The seven years of re-runs of that play were a truly unique experience.

But as the videos were screened, an idea was taking shape in my mind: the idea of reciting a few short pieces from Bond's *Lear*, which I had just finished playing at the Elfo. Bond is, after all, the putative father of the British playwrights who exploded onto the scene in the early 1990s, such as Ravenhill and Kane. I wanted to pay a tribute to them, but it made no sense with simultaneous interpretation, or by asking the interpreter to read the original script, and so I asked Ravenhill.

"I know that you love Bond and I'd like you to read the lines I'm about to recite in the original language, Mark." He immediately accepted. I hadn't forewarned him simply because the idea hadn't occurred to me earlier.

And so, that evening we listened to an extremely mindful and effective reading of the words of *Lear* by Mark, who was exceptionally good, and then the same lines recited by me in Italian. I had just played *Lear*, directed by Lisa Natoli, and it had become clearer to me, night after night, that there was an echo of Büchner in Bond, particularly of his *Danton*. Those words summed up many things that are important to me. One phrase in particular shone more than any other that night:

Mark/Lear – "I know it will end. Everything passes, even the waste. The fools will be silent. We won't chain ourselves to the dead, or send our children to school in the graveyard. The torturers and ministers and priests will lose their office. And we'll pass each other in the street without shuddering at what we've done to each other."

Elio/Lear – "*Finirà. So che finirà. Passa tutto, anche lo spreco. I pazzi faranno silenzio. Non ci incateneremo ai morti, né manderemo più i nostri figli a scuola nei cimiteri. Torturatori, ministri e preti perderanno i loro incarichi. E noi ci incroceremo per strada senza rabbrividire al pensiero di quello che ci siamo fatti.*"

I'm writing this note from Syracuse, with a spectacular sea view in front of me, Ortygia on my right, and Ravenhill's new play, *The Cane*, in my hands, which Mark had told us about during the dinner that evening to which Delogu had invited us, the necessary and relaxed convivial moment. I'm on my summer break, before all the theatre performances that will be staged next year. Monica Capuani, on the other hand, is back in London, at the theatre. She's just called me from there, she's preparing the new *Contemporary* series – the first date will be with Ferdinando Bruni, the other artistic director of the Elfo – and at the end of August there will be the first edition of the Italian Theatre Festival at the Print Room at the Coronet. . . We'll be back in London then. After all, a good part of our coming season at the Elfo is British: from Shakespeare to Simon Stephens, via Oscar Wilde and Mary Shelley.

Contemporary
Monica Capuani
I met Marco Delogu many years ago in Rome. I had participated to the unforgivable workshop that Annie Girardot had organised at the Argot Studio, a space that Marco contributed to create and that later would have become a theatre, still open. After that we sometimes worked together on articles for some newspaper: he was the photographer, I was the journalist. After being a freelance journalist for almost twenty

years and translating seventy books from English and French, I decided to dedicate myself to the theatre. Now I am a scout, which means I look for theatre plays, mostly in English (because as I am a big fan of English contemporary dramaturgy), I translate them at my own risk and try to promote their production in Italy. Marco proposed me to turn this one-way path into a two-way one. "Why don't you bring Italian theatre to the Italian Institute?". He gave me *carte blanche*, asking me just one thing: involving English theatre as well, getting actors, directors, playwrights of both countries (maybe also from others, why not?) to communicate, to create a dialogue. That's how the *Contemporary* series was born, in early 2017.

The first guest was Fabrizio Gifuni. He wanted to bring to London his passion and throughout knowledge of Carlo Emilio Gadda and his *That Awful Mess on Via Merulana (Quer pasticciaccio brutto de via Merulana)* with its acrobatic, 'seething', exceptional language. We read excerpts chosen by Fabrizio and interviewed him, and he told the Italian and English public about his career as performer and as attentive researcher-actor, that investigates about his favourite authors (another of his passion is Pasolini), bringing them with him on stage.

Pippo del Bono told about his 'theatre-life' and the creation of his original family-company, using his unique capacity of charming, that we can say is already theatre-like. He delivered to the public memories of the encounters that created, person after person, the group he's living and working with. Pepe Robledo, which he met in Denmark at the Odin Theatre and exile of the Argentinian dictatorship. Bobò, the little microcephalic deaf-mute man who was locked up for 45 in an asylum in Aversa. Mr. Nelson, a *clochard* he met in Naples, diagnosed with schizophrenia. And all the others. Pippo's shows are descriptive of the wounded and rejected humanity.

Iaia Forte came to tell his rich and irregular career, as bohemian and cheerful as she is. She shared with the public her fascination for the language of Paolo Sorrentino's book *Hanno tutti ragione* (All of Them Are Right) and her desire to bring on the stage Tony Pagoda, night singer, and philosopher of common sense, which goes to the Radio City Music Hall to perform in front of a Frank Sinatra, destroyed by alcohol. To read in English the same excerpts Iaia was reading – in that strong Neapolitan dialect – I called Branka Katic, a Serbian actress (she was in *Black Cat, White Cat* by Emir Kusturica) that lives and performs in London and that, with her accent a bit eastern, recalled the southern nuance of the Italian of *The Great Beauty* director.

The first Italian playwright invited to Contemporary was Lucia Calamaro. Her *L'origine del mondo* (The Origin of the World) enchanted who thought that in Italy good playwriting wasn't possible anymore. The French paid her a tribute during the Festival d'Automne and I thought that we needed to let her be heard also in London, centre of contemporary playwriting. Lucia is also a good actress and she read excerpts from *Origine*, whose English translation, made by Italian Playwrights Project, was read by Haydn Gwynne, exceptional English actress who played many roles, among which Margaret Thatcher, at Helen Mirren's side when she brought to stage his version of Queen Elisabeth in *The Audience* by Peter Morgan.

Since Ann Goldstein, American translator of Elena Ferrante, was in the UK, we dedicated an evening to *My Brilliant Friend*, already adapted for the theatre, and invited Melly Still, director its production at the Rose Theatre Kingston and Monica Nolan, the actress who played Lenù in the BBC radio version.

Then it was Lella Costa's turn, with her overwhelming vitality of a star performer who has filled theatres, many times all by herself. She narrated herself with a sympathy that took over the public and she read monologues from *Humans*, the show she was performing on tour with Marco Baliani. Omar Elerian, director and associate director at the Bush Theatre, and Nassim Soleimanpur, Iranian playwright that was rehearsing his new work at the Bush at that time. Lella was one of the first Italian performers who was bold enough to get on stage and read *White Rabbit Red Rabbit,* Nassim's work who the actor has to read the same evening he receives the text in a sealed envelope and is on a world tour still today.

Massimo Popolizion came with Emanuele Trevi (that share in this book his memory of that evening) to talk about their *Ragazzi di vita,* an adaptation of the book by Pierpaolo Pasolini, written for twenty actors, produced by Teatro di Roma, which Popolizion owed the Ubu prize for directing. That evening we discussed about the fascinating topic that is the adaptation of books for the theatre. They often arrive in theatres but they require – as Trevi explained – a careful and invisible precision. Trevi was also author of a theatre experiment called *Karenina* for Sonia Bergamasco, who arrived in London in occasion of an evening dedicated to Primo Levi for the 30th anniversary of his death.

A variety of texts were proposed by Bergamasco in Italian and by Lucy Russel in English (her debut was astonishing, as protagonist of *The Lady and the Duke* by Éric Rohmer), with an unforgettable final duet in both languages performing the exhilarating interview by a journalist (English, in this case) to a mole, from *Naso contro naso.*

Another thrilling night was the one whose protagonist was one of the most extraordinary figures of Italian theatre, Elio De Capitani: director, actor, co-founder of the Teatro dell'Elfo, the only theatre that, with a stable company, has educated Milan (and the part of Italy that goes to their performances on tour) to contemporary playwriting in the last 45 years. He has been in conversation with Mark Ravenhill, whose works were often played in the last years (in this book you can also find De Capitani's story of that evening).

Then, almost at the very end of 2017, we tried our first experiment out of the Institute, going in a theatre, with the compliance of Anda Winters and his Print Room at the Coronet, in Notting Hill. I invited Antonio Latella, that is one of the renowed directors of Italy's theatrical scene, and artistic director of the Biennale Teatro in Venice. We proposed to the Londoners *Ma,* a play created by Latella together with Linda Dalisi about the women in Pasolini's life and poetic, starting with his mother to the great protagonists of his writing and cinema. The bold and extreme performance by Candinda Nieri touched the heart of the public of the International festival during which this play was programmed. The *Contemporary* event with Latella and Nieri took place on the stage, right after the performance. It's incredible how theatre, even when you reflect on it, tends to go on the stage, because the stage is its natural home. And Anda's theatre, the Print Room at the Coronet is a warm and cozy home. And it will sure be our 'English home' outside the Institute when theatre will call for a stage, with all its strength.

My wife Filomena
Enrico Caria

My wife Filomena is Neapolitan, but she doesn't look it. To start with, she calls herself Nuccia, then she's blond and can't roll her r's. But it's in the kitchen that you'd really doubt her origins, based on what she can cook and what she can't: no to pizza, yes to bacon and eggs, no to pasta e fagioli, yes to roast beef with horseradish sauce. All right, but seeing as she's from Vico San Guido in Posillipo, how does she fare with fish dishes? Does she know how to cook past'e vvongole, 'o sarago all'acqua pazza, or 'a 'mpepat'e cozze? Of course not! That poor excuse for a Neapolitan adores smoked salmon, eels, and fish and chips in paper, takeaway style! And as for desserts, she can't stand rum babas and sfogliatelle, and loves steamed pudding, rhubarb crumble, muffins and plum cakes.

This is because, as soon as she turned 18, Filomena, otherwise known as Nuccia, threw a couple of things into a little suitcase and moved to London, where she did not yet know anyone, but she'd been obsessed with Swinging London since she was a child, and lived and breathed the legend of Twiggy, the Beatles, British films and Carnaby Street. And so, after many years in London, Nuccia not only forgot her mamma's cooking, but almost her beautiful language too. In fact, when I met her in Rome, where she was just passing through, I had to use my schoolboy English, which was pretty good at the time, in order to approach her. That was then. Today it's very rusty. But that's partly her fault too. Indeed, when we return to London, I can always count on her excellent services as a simultaneous interpreter, tourist guide and cultural mediator. As for relations with the locals, they remain within the reassuring circle of her friends who speak fairly good Italian and take the opportunity to practise it with me. To sum up, my good old schoolboy English is truly awful now.

Yet, perhaps for reasons of pride or vanity, I've continued to boast to Nuccia, accompanying her to see films in English without understanding a word, indulging in The New Yorker just to read the comic strips and browsing the Guardian online, looking only at the pictures.

But this time, I can't bluff my way out.

This time, we're going to London to present my docu-thriller on Ranuccio Bianchi Bandinelli at the Italian Institute of Culture, and after the screening there's going to be… a debate.

In English. I'm at a crossroads: if I ask for an interpreter, I'll have to drop my mask in front of my wife and I'll make a fool of myself, but if I start speaking in English, I'll make four times as much a fool of myself, and not only in front of Philomena, but also in front of the director Marco Delogu, the Italian ambassador Pasquale Terracciano and, ça va sans dire, the audience. But the moment of truth is here.

The room is full and, following a short presentation by the hosts, I manage to get away with a hurried "see you later" and all I can do during the screening is hope that no one likes my film, so that everyone leaves and the debate is called off. Instead, unluckily for me, the documentary piques the audience's interest, and when the lights come on after the closing credits, everyone is still there. At that point, the interpreter, who still doesn't know whether or not I want her, comes up to me with a headset and, as I meet the eyes of Nuccia, sitting there in the front row, I hear myself say "no thanks" and the damage is done.

Running with sweat, I wait for the first question in English like Mary Magdalen awaiting the first stone, but instead it is Marco Delogu who breaks the ice and I discover that he not only has a good knowledge of history and the documentary's subject, but he's also a cultivated, inexhaustible and, above all, untiring speaker. And that was my great fortune. At that point, I took a couple of imperceptible steps to the side and removed myself sufficiently from the limelight to encourage him to continue. And when a couple of questions in English finally arrived from the audience, who were already most satisfied by his ardent conclusions, they were really easy and I replied with short, generic statements that I'd already prepared

for the occasion. Then I passed the parcel straight back to Marco, who happily received it…

I feel the need to add one more thing to this half-serious reconstruction of the wonderful evening spent at the Italian Institute of Culture in London: thank you. Thanks to the director Marco Delogu, who invited me to screen my docu-thriller, to Pasquale and Karen Terracciano, who hosted us in the marvellous Embassy residence, and to the audience that really did turn out in force and, it would seem, really did appreciate the film. As for the rest, my English might not be fluent like Filomena's, but my *pasta 'e vvongole* is quite another matter …

The Original Nick La Rocca's Dixieland Jazz Band
Michele Cinque

I arrived in London 98 years after Nick La Rocca's Original Dixieland Jass Band. I was there to present my latest film, *Sicily Jass*, which tells the story of the cornet player of Sicilian extraction, who recorded the first jazz record in history, in 1917, on the Victor label, exactly a century earlier. That record was called *Livery Stable Blues* and sold over a million copies in the United States. The Original Dixieland Jass Band was one of the first bands to cross the Atlantic for a British tour. At the time, it was the highest-paid band in the world, and in London played in front of King George V at the famous Armistice Ball that celebrated the end of the First World War. However, this important legacy has been all but forgotten in the official annals of jazz.

The band arrived in London on a world tour, following dates in New York, Algiers, Amsterdam and Berlin, and which subsequently continued to Japan. I arrived in London on a cold November day by invitation of the director Marco Delogu, and as I walked through the streets around Belgrave Square, noting the expensive houses with luxury cars parked outside, I wondered what the members of La Rocca's band must have thought almost a century ago. The contrast between their turn-of-the century New Orleans and the imperial capital of George V must have been very evident, and they must have felt out of place, used as they were to the Chicago gangster clubs that played the music of the underworld of Woodrow Wilson's America, just a few years before the start of Prohibition. The band, which the British press had referred to as "The fearful wildfowl, who call themselves the Original Dixieland Jass Band..." after their first concerts, played the music that was later recognized as the soundtrack to the First World War. Did La Rocca feel like a fish out of water upon his arrival in London, or did his large ego feed on the fame that would accompany the entire British tour?

Making this film meant digging in the past, among dusty archives, old documents, private letters, rare photographs, and precious videos. In the archives of Tulane University, in New Orleans, I found the recording of an interview with Nick La Rocca made in the 1950s. During this long conversation, the cornet player refers to the British tour and its untimely end, saying, "I didn't want to stay in England no more, I had various reason that I can't tell why I had to leave England [...] Maybe someday someone may find out, but right now I wouldn't tell them." I remember that when I listened to the recording for the first time, I felt a shiver run down my spine, the sort of shiver that perhaps researchers feel when they're close to a discovery. I'd found another little mystery to solve and those words said to someone, who in the future would perhaps have discovered the reason that led La Rocca to leave England, made everything even more exciting. The answer came a long time afterwards, almost at the end of the production of the film, and I found it in England, near Sherwood, at the home of the researcher and collector Mark Berresford.

Mark told me that, despite being married in America, La Rocca went out with many high-society girls in London. It appears that he had a passion for a certain Dorothy Kathleen Hamilton, the daughter of a lord. The young lady got pregnant and the story goes that when her father found out, he chased La Rocca to the docks, armed with a pistol, and forced him to board a ship back to America.

Mark had also managed to trace the son, James, who was born from their romance. He was never recognized by the cornet player and died in the early 2000s. Unfortunately, like other curious episodes from the time, this story was mentioned only briefly in the film for reasons of space.

At last I reach Belgrave Square and meet Marco, with whom I'd conversed only by email until then. He surprised me by telling me the stories of important guests of the Institute and he gave me a book, *Il capitale umano* that contains some of them. The presentation commenced at 7 pm in the hall of the Institute of Culture, which was full for the occasion. I did not know that my story would have become one of the many in this book like those featured *Il Capitale Umano*.

Pio La Torre, That's Who You Are
Franco La Torre

Mafia sits at the giving, not the receiving end of the law. This statement was made by my father, Pio La Torre.

Marco Delogu was convinced that presenting Pio La Torre to the polite society of London, of Italian and other origins alike, taking as a springboard the book my brother Filippo and I had just written: *Pio La Torre, That's Who You Are* (*Pio La Torre, ecco chi sei*), would be a great opportunity. He was convinced that it's necessary to share these reflections, in order to broaden the debate, to make it surface, to meet the 'mainstream'.

During his intense, although not very long life – he was killed, together with his friend and associate Rosario Di Salvo, on the morning of 30th April 1982, aged 54 – Pio La Torre got to know mafia extremely well, in its various incarnations; from the feudal baron, to global finance.

Pio La Torre chose to be involved in trade unions and politics, because he believed that politics is the best job in the world, as it serves to solve people's problems. In particular, for my father, it meant solving problems for those people who could not really help themselves. His, was a vision of society inspired by constitutional rights, which feeds on social justice, the right to work, education and public healthcare, of a just and progressive tax system, an equal and sustainable economic growth, that knows how to say no to nuclear power.

For this reason he went against mafia, and for this reason mafia considered him an enemy.

Born in Altarello di Baida, in a small town on the outskirts of Palermo, on Christmas Eve 1927, into a family of poor farmers, he got acquainted with how feudal mafia oppresses and exploits the labourers, controlling their whole existences in the name and on behalf of the authority, that is the feudal lord.

He had to suffer the consequences when, as he became a junior trade union and PCI (Italian Communist Party) director, mafia set fire to the home stable, where they were rearing a veal, which his father would have brought to market, in order to help the household's meagre income.

When he got elected as part of the Town Hall Council in Palermo, in the early 1950s, he became acquainted with the 'institutional' face of mafia, in the person of the then Mayor Salvo Lima, his alderman Vito Ciancimino, who many at the time considered the real mayor of the Sicilian capital, as well as Giovanni Gioia, then minister of the Merchant Navy.

He got to know first hand the interests bonding together commercial enterprises and mafia when, while secretary of the Chamber of Labour in Palermo, he fought for the rights of the workers in the Shipyards, the biggest factory in the city, and found out that a notorious family of Northern entrepreneurs, the Piaggio di Pontedera, had entrusted the management to organised criminality, in order to bar the trade union from entering the shipyards.

The presence of mafia in Northern Italy, which had been long denied, has the face of Luciano Leggio, also known as Liggio, leader of the Corleone clan in the 1960s and 1970s, who was arrested in Milan, where he certainly did not go for tourism, and of Michele Sindona, Italy's saviour, according to Giulio Andreotti, with his Banca Privata, which was liquidated and administered by Giorgio Ambrosoli, who was murdered by a killer hired by Sindona himself.

All of this was told, naming names and surnames, in the minority report of the first Anti-mafia Committee in 1976.

This knowledge allowed to define mafia as a «a phenomenon of the ruling classes», who were unfaithful to the Republican Constitution, of which they disowned the principles, in order to achieve their objective of controlling public decisional processes, in order to acquire public procurement contracts, which ultimately served towards illicit accumulation of wealth.

Power and money, these are the founding characteristics of mafia, which based its strategy on the mutual interests relationship binding it to politics, which granted its survival and development. Indeed, what criminal organisation, even if extremely powerful, could survive the might of a State which fights back?

This awareness led to the formulation of a bill, approved on 13th September 1982, following his murder and that of Carlo Alberto della Chiesa. The Rognoni-La Torre law (named also after the Minister of Internal Affairs of the time), which introduces to the Penal Code the crime of associating with mafia (416bis), authorises private wealth and bank investigations and allows the seizure and confiscation of assets from the mafiosos.

This law allowed Italy, the country of mafia, to become the country of anti-mafia, starting with the *maxi processo* (maxi-trial), started by Giovanni Falcone and Borsellino. This is a law that has been considered a formidable weapon against mafia, which has not been vanquished yet. In fact it's true that mafia has not won, but it has not lost yet either. As we hear from judicial and journalistic enquiries, the political-mafioso power system exercises its work by way of negating and distorting fundamental rights: work becomes favour, which is obtained by sacrificing the freedom of vote, free enterprise is oppressed, health is sacrificed on the altar of public procurement contracts money, which is granted by corruption, information is negated through physical elimination and having journalists under escort. This is just to name a few of the rights which mafia annihilates.

This allowed Pio La Torre to state that «the fight against mafia pertains to the battle in defense of democracy at large».

Indeed, the concept of mafia as a phenomenon of the ruling class, sustained by an historical analysis, is not really to be found in political debate - one wonders why - and public narrative.

The participation of Federico Varese, a lecturer at Oxford, to the presentation of *Pio La Torre, ecco chi sei*, thanks to his refined and deep knowledge of global mafias, has rendered the discussion on mafia international, freeing it from the bounds that portray it as a phenomenon exclusive to Italy, and which, by its very nature, encompasses all continents.

Thus, the debate broadens, and the ball is now in the the the court of British Universities, which enliven the game. Indeed, thanks to Marco Delogu, we have talked about Pio La Torre, rights and freedom, progress and reaction, democracy and mafia, to the students and lecturers of Oxford, Winchester, Brighton, Bath and Bristol.

This is to put to rest all of those who keep thinking that mafia is embodied by short men of dark complexion, with mustaches, *coppola*, and *lupara* (sawn-off shotgun), who live in isolated countryside houses, eat potato soup and hand-write notes in grammatically incorrect Italian, and of those British people who, apparently, still have not read *McMafia* by Misha Glenny.

The First Luisa
Selis Fellowship
Sonita Sarker

It was familiar but it was fantastically new and bold! My visit to London in the summer of 2017 followed various other visits that I made here previously. Those other visits had been for concerts or conferences. This time, I flew in on the wings of aspiration and admiration. My aspiration was to feel a more and more intimate joy in reading Grazia Deledda and Antonio Gramsci in their own chosen language. I had also chosen to inhabit the language by learning it, just like Deledda and Gramsci had. Moreover, because of the Luisa Selis fellowship in Italian Studies that brought me to London, I felt deeply the honour and recognition of being acknowledged for my labour in this field.

This recognition, extended by the Italian Institute of Culture and the University of London's Institute of Modern Languages Research, made this voyage different. My admiration is not only for the language that I chose to embrace but also for the grandeur and beauty of Deledda's and Gramsci's visions. The journey into the worlds of Deledda and Gramsci allowed me to be in Belgrave Square quite distinctly from the ways that a traveller or a tourist might. I could have easily been an applicant for a visa, knocking at any of the imposing doors of any of the embassies and consulates surrounding the Square, perhaps allowed to enter and about to depart soon. Instead, I looked out at the Square for three months, a temporary presence who had come to stay, from the windows of the Italian Institute of Culture, and from the perch of the third floor of the Director's house, where I lived for the summer. I settled quickly into a modest and regular routine of taking the Tube to the offices and libraries of the British Library and the University of London, reading Deledda and Gramsci in my room, and making my way down the stairs, through the Director's living room, out the back door, into the garden (where a vase of flowers stood in Luisa Selis's memory), and through the portals of the Institute, for the wonderful array of creative presentations – the talks, the shows, and the exhibitions.

My routine broke only for the inspiring visit to the birthplaces and work-places of both Deledda and Gramsci – Nuoro and Ghilarza, respectively – and oh! how the sense of place amazed me. I trudged in the footsteps of all the visitors to London, and the paths of Sardinians in Nuoro and Ghilarza. All these brief but deep experiences, where I witnessed the lives and works of artists, poets and revolutionaries, through the grace of a woman named Luisa Selis for whom the fellowship was named, were infused into every word I spoke in my presentation at the culmination of my fellowship. The lights were bright, the room was crowded, there was a buzzing in my ears, and I extended out to the people a small part of the richness of thought I have been so privileged to have entered.

*Violence and
Democracy in
Unified Italy*
David Forgacs

Blue sky and crisp cold air as I step out of a black cab in Belgrave Square on a December morning. I've just arrived in London from New York and I'm leaving my bags at the Italian Cultural Institute, where I will give a talk in the evening. Afterwards I and some others will have dinner in the Director's residence with Marco Delogu, who has invited me to stay the night in the spare bedroom. I take the Victoria Line to Blackhorse Road to meet my daughter Ellen for a coffee.

Whenever I come back to London, even if months have passed, everything immediately seems familiar and natural, as if I'd never been away. I was born and grew up here, but for the last six years I've been living in New York with my Italian wife, Rachele. She works for Open Society Foundations, I teach at New York University. It's easy to switch between the two cities. They are both large, multicultural and fast-paced, and strangers can merge into them easily. Their central areas have become prettified and gentrified in the last twenty years, with reclaimed docks, ex-industrial spaces that are now gardens or art galleries, warehouses that are theatres, coffee bars and designer stores all over the place.

At the same time, both cities have become very expensive, and soaring real estate prices and rents have pushed lower-income residents out to increasingly rundown peripheries. And in both cities, beneath their liberal and inclusive veneer, there is still segregation along racial lines in public housing, schools and the police. In the Borough of Waltham Forest, where Ellen lives with her partner Ben, half the population are of a minority ethnic background. The top five countries of origin are Pakistan, Poland, Romania, Jamaica and India. In Donald Trump's America as in Theresa May's Britain, and as in most of Europe now, times are hard for foreign residents whose immigration status is not secure.

Ellen and I walk to the William Morris Gallery and sit in the café. It's a difficult time for her too. She's about to give birth to a son who has been diagnosed prenatally with an interrupted aortic arch, a rare heart defect. In order to survive he will need open heart surgery a few days after he is born. I will stay in London until after the operation. Ellen tells me she is scared. She and Ben, who both work in the NHS, know that not all babies make it through this operation, and those that do may have other problems later. But I also see how courageous she is talking about these possible futures. After our coffee we walk round the exhibition of May Morris's beautiful art embroidery. I give her a hug and take the bus and tube back to Victoria.

My talk at the Institute is about violence and democracy in united Italy, the subject of my next book and of an exhibition. I put forward two arguments. The first is that public violence has recurred since Unification when the legitimacy of the state has faltered, been challenged or has not been securely established: 1860s, 1890s, 1915-22, 1943-48, 1969-82, 1992-3, 2001. The second is that violence is a communicative act: it is meant to send a message both to victims and bystanders, and the communications serve its legitimating or challenging function. I show some harrowing pictures to explain how all this works, and how the communicative technologies evolve over 150 years from painting and drawing to photography, film and video. I'm pleased to see old friends and former colleagues, as well as former students, in the audience, and we talk afterwards. It feels like a real homecoming. Afterwards I talk at dinner with Katia Pizzi and her partner, and with Marco and his partner, Lorenza. Around 10 pm I succumb to the effects of good food, wine and jetlag and I flake out.

Next morning it's sunny again. I hear little Sebastian having his breakfast, I take a shower and look around the corridors. It's like a private photographic gallery. The corridors are adorned with framed prints by Marco and other great photographers, whose work he has curated and who are also his friends, like Josef Koudelka and Don McCullin. In the dining room there are his beautiful peaceful photographs of horses. But I know that much of Marco's work, both as photographer and curator, is scored through with experiences of violence, forced displacement and social marginalization: psychiatric institutions, prison, war, migrant Roma, migrants from the global south.

Marco takes me to get coffee at a little Italian café opposite the back door of his house. It's one of the little family enterprises that has survived in Belgravia in the midst of gentrification. He tells me the dented car parked outside that belongs to Anish Kapoor, a neighbour. Afterwards I go to meet my youngest daughter, Ruth, for coffee, and we phone Ellen. London seems completely familiar, but exceptional events are happening, both in my family and in the wider world. I'm writing about violence in Italy in the past, but violence is all around us in the present: not only in Syria, Iraq, Afghanistan, South Sudan, but also in European cities, in American cities, and in London, with increasing knife violence in certain communities and increasing use of force by the police. A report published in August 2017 noted that the Metropolitan Police had used force more than 12,600 times in three months, with a disproportionate amount of incidents involving black people. The world, polarized between rich and poor, gentrified and marginalized, state institutions and people, is very unstable.

Ellen and Ben's son Ethan was born a week after I arrived in London and he had the operation five days later. It was successful and, as I write this, he is doing fine.

React, interact and learn:
Three lessons from the History and Democracy series
Andrea
Mammone

Many people seem to live as nothing happen around them. My train from Washington DC to Philadelphia is indeed very quiet. I can hear only a couple of fellow travelers talking about sport. I left Britain to focus on my book – which, unfortunately is not on college basketball (and co-written with an eclectic coach director such as Marco Delogu). I am probably here because I am also unconsciously trying to get away from a few "ghosts" following me recently. They have strange names such as "Brexit", "Euro crisis" and similar. Yet, the truth is that I will not go easily away from them because I am writing on nationalism – and especially when sitting in an office or library surrounded by a bizarre and foggy U.S. political and cultural climate.

Before leaving DC, I had a tea with a sociologist. Weather is still warm and pleasant on this side of the Atlantic – better than in Europe in October! – and we stayed outside. But rather than enjoying this late autumn, our concerns were, once more, coming up: rise of xenophobia, nationalism, Euroscepticism, supremacist ideologies, and popular apathy towards traditional political elites. Western democracies are, in fact, facing one of their worst crises since 1945. We clearly need building a new type of trust between citizens and institutions, and reflecting upon the ongoing changes to contemporary political representation. But how? The breakthrough of the far-right *Alternative für Deutschland*, becoming one of the largest parties in the rich, and apparently "immune", Germany, has been worrying commentators even further. Are fascism and authoritarianism returning in modern-day Europe? In the era of demagogy, post-truth statements, and migrations, this also touches the inner soul of democracies: Will extremist forces change traditional institutions? Is nationalism going to dismantle European integration? Are the years of multiculturalism gone? A right-wing populism seems to go hand by hand with the belief in an inassimilable "other" in our multi-ethnic societies.

Before leaving the café, my colleague asks me if there is any hope. I stayed silent and she basically answered to her own question. There is an incredible grassroot activism in the U.S. Women are getting involved in politics, young socialist democrats are amazingly gaining ground in the party primaries, and many associations are fighting against all forms of discrimination. The meaning of my silence was evident to me: What is the reaction in Europe to some illiberal policies or demagogic strategies? I had not many answers. After hearing account, and although I am an optimist, I thought to have only intermittent hopes on the immediate future of the old continent. I got distracted on the train. After Baltimore, it crosses a few watercourses: Back River, Gunpowder River, Bush River, Susquehanna River. I grew up in front of the sea, believing that "water" helps thinking. Some of the "reaction" in Europe was now in front of my eyes. It is possibly uncoordinated, small, but people *react* and, when possible, they also *interact*.

An example was, in fact, on History and Democracy series. I was lucky to design and (un-?) coordinate roughly twenty interdisciplinary seminars, hosted by the Italian Cultural Institute in London. With the help of journalists, experts, writers, activists and scholars we tried to challenge the many, "easy", superficial readings of the current complex era. Over a fruitful 2017-2018 season, we followed events – adapting, at times, the program to the ongoing socio-political and cultural developments. In a fast-moving world, our interpretations and reflections were placed in a global and long-term perspective. These talks analysed the state of western democracies, welfare, the new faces of politics, education, the impact of the rising inequalities, the influence of new media, the relationships between citizens and state or the EU, Brexit, immigration and refugees, Euroscepticism, the

health system, education, the role of religion, radicalisation, neo-liberalism, the future of social democracy, corruption, nationalism, and the memory of fascism, among others – but also and how society and culture react to these challenges. Everyone learned a lot from the speakers, and they sometimes challenged the excessively simplistic or uncritical way of thinking. They also interacted with our public. I was personally impressed how the audience interacted with some arguments – often by bringing their own perspective. This is the best way of learning – notably through reflection, transfer and interaction, or, to put it differently, cross-fertilization. In the era of digital activism and with our societies experiencing a different type of political participation, I realized how debating, with "off-line" people is still central to understand many of the socio-political changes. In sum, the History and Democracy series thought me more than I could actually "teach" our audience. I have consequently correct myself: I really have some hopes for the future.

Transnational Gramsci
Silvio Pons

It is almost too common to state that Gramsci is a global author (an icon, even). His name hardly goes unnoticed by any well-read individual in Europe or the United States, and even in Latin America, India and China. Quotations of his theory on hegemony are countless and circulate abundantly on the press, not to mention the web. Translations of his texts have proliferated in the past decades. One of the characters of the latest Jonathan Franzen novel, *Purity*, is a Gramsci reader. However, it is one thing to say that Gramsci enjoys global fame, it is another to personally experience the truthfulness of this statement. This is precisely what happened the night of 30th October 2017 in London, at the Italian Cultural Institute on Belgrave Square.

The original idea was a Columbus' egg of sorts: since the exhibitions of the original *Prison Notebooks* by Gramsci were a great success in Italy, in particular the one organised at the Gallerie d'Italia in Milan in 2016, why not organise the first exhibition of these pieces abroad? And what better location than London, by virtue of its cosmopolitan nature and the intellectual tradition which has allowed Gramsci to be well known in British Universities since a long time? It was sufficient to have only a handful of minutes with Marco Delogu to transform what could have seemed like a flight of fancy, a gamble, into a concrete project.

The proposed endeavour was not so small. At the end of the day, the very idea of exhibiting the *Notebooks* was a recent one even in Italy. It goes without saying that the sensibility and respect towards Gramsci constitute a national dimension, one of the few unified acknowledgments in such a divided and belligerent country as ours. This can be noticed, for instance, in the tribute of the Italian Parliament to Gramsci in occasion of the 80th anniversary of his death. Taking the *Notebooks* to London meant something else entirely: that is, gambling on finding there a globalised audience, equipped with a cultural curiosity sufficient enough to go and see the *Prison Notebooks* (translated into English only in one edition of excerpts dating back to the 1970s) under glass.

And yet this is precisely what happened, the audience materialised against all odds. At six in the evening, together with Marco and in the presence of the Italian Ambassador Terracciano, I inaugurated the exhibition with a brief speech in a room full of people who came to attend the event. It was an attentive audience, with a good understanding of Gramsci's significance as one of the 'classics' of modern political thought, of his international renown, but also of the necessity to better understand his historical and biographical context. All the while, a long line started forming outside the building. In the handsome room on the first floor, where the simple display was located, hundreds of people filed by for a couple of hours, stopping for a few minutes to simply lay their eyes on Gramsci's minute and regular handwriting, navigating the touch screens provided, which allowed the public to selectively focus on some sentences and words of the *Notebooks*, and to consult the books he himself read in prison. They were people of different generations, Italian and British, university students and professors, journalists and writers, and many more. I spoke to some of them exchanging ideas and opinions, until late at night, and no one had just happened there by chance.

A journalist from the *Economist* then wrote that seeing the *Notebooks* in person conveys to everyone in an emotional way, notwithstanding cultural and political affiliations, the energy and erudition which permeates them. One could say, this sheds light on why Gramsci's thinking has survived the end of Communism in Europe and has become part of the global cultures of our time. Perhaps, London is merely the start of a transnational path.

About Kandinsky
-> Cage
Martina Mazzotta

"The colour white strikes us as a great silence that seems to us to be absolute. Internally we perceive it as a non-sound, very similar to the musical pauses that briefly interrupt the development of a phrase or a theme, without concluding it. This silence is not dead, but rich of potentialities. (...) It is the youth of nothingness, or rather nothingness before the origin, before birth. Perhaps this was the sound of the earth, in the white time of the Ice Age" (Kandinsky, *The Spiritual in Art*).

We had to get here, to a quiet point of arrival, in the absence of shapes and colours, to a break that brought to completion a brief, and yet intense, path in the bowels of *The Spiritual in Art*. This was to be achieved by presenting to the London public an Italian exhibition that did not yet exist, an accompanying book of which we didn't even have a first draft for, and project that, only if "experienced on one's skin", would have bestowed sense, perhaps, on a great landscape of names and destinies. Starting from Kandinsky and going all the way to Cage: *really? putting the two together in one title sounds absurd, thrown in relation with each other by a dangerous arrow that pierces 1900s and points to the marvelous, but never resolved, exchanges between art and music?*

It was a real challenge - coupled with some recklessness and a visionary outlook - which Marco Delogu attentively accepted, by taking part in the synesthetic direction of the whole: painting, music, performed and declaimed words, all the way to silence. We have to thank Giulia in the organising team, the usual invaluable collaborators of Belgrave Square, and the Fazioli, the one towering on the first floor of the ICI, like a sacred mountain, surely one of the most handsome pianofortes in London. The same London where, four years ago, I had decided to move my children, so that they could grow up breathing in the same atmosphere of their father, and thus forge their identity by running along the double Anglo-Italian binary tracks of their parents, so that they could look at their own culture and origins with the flexibility and openness enabled by today's communications and transportation speed, in so many different ways. I left behind years of passionate work in that smithery of ideas, books and exhibitions that is my father and my mother's publishing house in Milan, as well as the Foundation, an inexhaustible source of discoveries, of trans-disciplinary experiments, of occasions for Italy to open up to Europe (today, still and forever, a "living" archive). It is natural that I found in the Institute, reborn precisely at the same time as my arrival in the city, a veritable beating heart, with which since the very beginning I could start organising events for children; then there was a sort of constellation, to frequent and listen to, around which gravitate some stars and planets that are really important to me: the Embassy, the Consulate, the Scuola Italiana a Londra, the Libreria Italiana, Cinema Italia-UK, to name but a few.

In the case of the "synesthetic" evening we are discussing here, the challenge wasn't simply of hosting the preview of an Italian exhibition, but to open up to the public a whole historical context - both artistic and philosophical - which involved chiefly Central Europe and the German-speaking countries, but also the Baltic countries as well as Russian influences. This is a field of enquiry that has been studied and dealt with more in Italy and "the continent" than around here; it is a cultural climate which finds its roots in ideas dear to Goethe and Wagner, and that made of art, of the arts, the preferred seat of *universal ideas*; for sure it's a path within the history of art that is parallel to the better trodden ones, since the birth of abstract art involved many hotbeds and often simultaneously so, but it developed in the *spiritual* sense especially in Munich, where painting and music interwove in the experimentations of Kandinsky and Schönberg, who would then become Cage's teacher (also part of this journey, although peripherally: Klinger, Ciurlionis, la Werefkin, Klee, Fischinger, Melotti, Turcato, De Stael).

These are artists who knew how to eschew their own ego, who had an incredibly fruitful relationship with natural (many of them were botanists) and spiritual (also in esoteric, religious, and occultist sense) life, which allowed visual arts to take leave from the spacial rigidity they were confined to, in order to *temporalise themselves* and vibrate in the spirit of the beholder, just like it happens with music: "Colour is the key, the eye is the hammer, the soul is the piano with the thousand strings. The artist is the hand which, touching this or that key, makes the soul vibrate" (Kandinsky). Heir to this *philosophia perennis* was the polyhedric Cage, a bridge with the

Orient who encouraged, just like Kandinsky, to consider the colour white and silence as points of departure and arrival, who invited us to become re-creative by making the artwork vibrate inside us, by activating the senses as well as that primary action of listening to our vital functions which allows us to discover spiritual life - and the relationship to the cosmos - by way of empathy (*Einfuehlung*).

There is a great scholar in England, who knew how to sanction the relationship between music and painting with his book, *The Music of Painting*, which in English has become an essential reference point, together with his erudite translations of Kandinsky's texts. It's Peter Vergo, who participated with enthusiasm to the catalogue of the exhibition and the evening event at the ICI, commending Italy's, and (continental) Europe's, achievements for tackling these themes with a transdisciplinary approach, just like in an exhibition aimed at a large public.

Perhaps this is why *Kandinsky Cage* has been welcomed as a novel endeavour, gaining the acclaim of the public and the critics both nationally and internationally (it has been named, for instance, among the 10 best exhibitions in Europe in 2017, according to Robinson, writing for the newspaper la Repubblica). It has been an experiment which has given back to many people the trust in the possibility to make people flexible, by offering them "something else", and that Davide Zanichelli, who took part to the London preview, had the courage to take forward, together with the whole team of the Fondazione Palazzo Magnani. The first step had been taken in London, where a synesthetic and polysensorial evening certainly could not be limited to a conference and an anthology of artworks, artists and ideas.

In fact, the direction invited the public of the ICI to climb the steps to the first floor of the building, reaching the "sacred mountain" after a flight of stairs, in a slow and silent procession. The experiment was successful: a brief, intense melologue with Paolo Repetto at the piano and Marco Gambino whose voice magically carved into the air Mussorgsky's *Pictures at an Exhibition*, then Schönberg, then Brahms and the poetical declarations of the artists:

> I have nothing to say
> and I am saying it
> and that is poetry
> as I need it.
> (John Cage)

Venice, London and Naples
Mario Codognato

About ten years ago, Francesco Clemente, a great friend and painter, devised a series of works that took the form of imaginary maps, significantly entitled *In meiner Heimat*. Each map flanked and overlapped three maps of three cities with different scales and styles, creating a dreamlike but synoptic view of Francesco's artistic and existential biography, with Naples, Varanasi and New York as the three cardinal points of his life and his artistic experimentation. One day he told me that he wanted to make one for me and asked me to choose three significant places in my life. I didn't have to think about it for long . . . Venice, where I was born . . . and then, of course, London and Naples, the two cities in which I trained and developed professionally and in other respects.

You can't choose where you're born, but fortunately, at least in many parts of the world, you can choose where to live. London and Naples were a choice: a very intentional and much longed-for choice. London and Naples are such complex, polyhedric and almost elusive megalopolises that comparing them, or trying to find similarities or differences, is not so much difficult as futile. They are cities in which the contradictions of the past and the contemporary world co-exist, with an exponential value and acceleration. They have a very strong, enduring identity. They look the same as ever, but they're constantly changing. They feed on a glorious and tragic past, but transform and adapt to the present. Or rather, they create the present.

That is why Marco Delogu's irresistible invitation to stage an exhibition at the Italian Cultural Institute in London of the contemporary collection of one of the oldest charitable institutions, the Neapolitan Pio Monte della Misericordia, constituted an occasion that went way beyond a mere presentation for me. It united two extraordinary cities, and my twin points of reference, literally occupying the entire Institute with the works for several weeks.

The Pio Monte collection of contemporary art was formed thanks to the extreme generosity of the artists who donated their works to this institution. They are all artists with whom I have worked and cooperated over the years, both in London and in Naples, and whom I was able to involve in this event due to my esteem for them and friendship with them. Many of them are British or centred in London, and thus help to close the loop, or rather, as in Clemente's maps, to overlap the streets and flank the alleys of Naples with the tree-lined squares of London.

In 1982, Caravaggio's *Seven Works of Mercy* caused a sensation when it exceptionally left Naples to be featured in an exhibition on Baroque painting in Naples at the Royal Academy of Arts in London. This extraordinary and revolutionary altarpiece, commissioned by the Pio Monte in 1607, and the theme of solidarity are the starting point for the works commissioned from the contemporary artists that, 35 years later, have in some way reintroduced to the British capital the urgent need to help the weakest.

The Simplicity of the Child
Marina Abramovic

Marco Delogu: Marina, I'm impressed by the sentence of Brancusi that says "how beautiful and difficult it is to become a baby again". When I think about my work as a photographer, as an artist, I often think of my life and we were discussing just a few minutes ago how fast it has gone! The question is: How do you act like a baby when you make art?

Marina Abramovic: So Marco, this is a really important question, because I have just been asked a similar question recently: What do I want to do for the rest of my life, the life left in front of me? I think about this very often. I remember that when I was very young, maybe nine or ten years old, at my birthday I suddenly realised that I was going to die! I was panicking and could not believe I was turning ten years old. Then this feeling never left me, that every day we are closer to our deathbed. This is extremely important. When we acquire all this knowledge and think we are so wise and think this particular way for years, how it is possible to actually forget all that? It is important to return to the innocence of a child, be able to wake up in the morning and see the world for the first time. It is very hard, because actually that is the point of creativity, when you have to listen to the intuition that comes out of you, somehow, from your stomach or just in a completely unexpected way, for instance in the bathroom, or waiting for the bus, or (I always say) cutting garlic (I like cutting garlic)… that is so fresh, clean and pure. This is when creativity is really trying to go back to the innocence of a child. It is so important because you have to lose your ego first, and lose the notion that you are the most important human being, that you are great… you have to cut out all that bullshit and throw it away for the sake of simplicity. The only way to survive in the world we are living in right now is to go back to simplicity: the simplicity of a child.

Note: I spent the whole afternoon before the event with Marina, we talked about a lot of topics, both about art and our personal sphere. At a certain point Marina remembered the winter of 1977, when she spent 3 months in Orgosolo, Sardinia, in a fold of a shepherd, making Pecorino Cheese and covering herself with non-woven wool. I always try to convince her to go back to Orgosolo, she says that it has been a wonderful period, but I don't know if I will manage to convince her. (M.D.)

Marina Abramovic presented at Italian Cultural Institute in London a photographic book by Alessia Bulgari.

Bread and Photography
Josef Koudelka

Josef Koudelka: I was born in a little village of 400 people. Once a week, the baker came and he brought the bread. Once he brought some photographs with him, he showed them to my father, and that is how I started to become interested in photography.

(...) My way of working is: more work to try and find a place where pictures are taken for me. And when I find a place, I try to go there as many times as possible, sometimes it takes months for the first photograph, sometimes I never get it. It is the same with the people. For 15 years I went around the same countries visiting the same people, photographing the same things. For me, these people were like theatre: what I am photographing now is a theatre too. People are gone [from it].

I think what they say about my work from the 1960s onwards is that I am trying to photograph how contemporary human beings influence the landscape. It is true that I do not photograph just people or the contemporary world. I am very happy that there are photographers, even at Magnum, who are photographing contemporary works. But if you take photographs for 50 years you try to complete what you have, what you need. There are less and less situations and people that I am going to photograph now. But I think that I am very much interested in the contemporary world as regards landscape.

I think this work on archaeology for me is about how contemporary human beings positively influence the world. Because the archaeologists are trying to show us what we have not seen, what was lost. So I am very happy that I am something [sic] that is contemporary and that is positive.

Qualsiasità at the Italian Cultural Institute in London
Alessandro Dandini De Sylva

In the early Eighties, a cultural movement formed by a great number of photographers blossomed in Italy, employing very straightforward photography which simply observed places, tried to redefine the relationship between man and the environment. Their photography is characterised by numerous cultural references, from Conceptual Art, to Land Art, stemming from their closeness to modern and contemporary American photography, from Walker Evans to Paul Strand, from Robert Frank to the New Topographics. Above all, Italian photography from the 1980s finds the most resonance with the great experience of neo-realist cinema.

In 1984, *Journey in Italy*, a project created by Luigi Ghirri and Gianni Celati, freed the collective imagination from the visual archetypes onto which the image of the *Bel Paese* had been built over the years, introducing the concept that photography is the idea of the photograph as well as reflection on the creation of the image, and thus a rethinking of the image and complete overturning of the previous photograph. After over a century of essential continuity, the relationship between photography and landscape was redefined, thus identifying the main subject of a new generation of photographers.

It's in this period that Guido Guidi chose to work with a large format camera, which was able to grant him very accurate image planning and minute details, which could be obtained thanks to colour contact printing. Highly aware of the minimal sensitivity of inhabited spaces, to the void and everything that is marginal and dispersed, Guidi did not work on the city, but on a whole territory which he constantly roamed, the area between Emilia Romagna and Veneto. Always surrounded by young people, Guidi strips photography of any formal artifice and talks to his students about "a photography that is not monumental and about monuments, but of a photography of 'anythingness' (*qualsiasità*), to quote Zavattini".

After over thirty years, *Qualsiasità* compares diverse explorations of the Romagna territory from 1984 to today by Guidi and by a new generation of artists, witness of his peculiar attitude towards the exploration of the landscape. Photographers such as Cesare Ballardini, Cesare Fabbri, Jonathan Frantini, Marcello Galvani, Francesco Neri and Luca Nostri – who, at different times, frequented his

lectures in Ravenna and Venice, and regularly visited his home-studio in Cesena - have kept alive the interest for the marginal landscape, as an occasion to reflect on the very nature of photography.

Seven authors, the same vision of photography, a communal journey made of affinities, closeness (also geographical) and frequent collaborations. From the projects developed by these photographers over the years - some of them were commissions, some of them free ranging enquiries in their places of birth or residence - there emerges a pressing exploration of those landscapes located "around the corner", an area extending from Cesena to Ravenna, passing through Faenza, Fusignano, Lugo and Massa Lombarda.

The 'anythingness' of the gaze is translated also in their works into a photography of the quotidian, with an attention for the minor aspects of the territory and focused on the landscape found in close proximity, lived like the first place of observation. The frontality of the shots, the plain and descriptive use of colour, the privilege given to ordinary vision in the middle distance, and the democratic gaze, are all elements of a vocabulary shared by all seven photographers, and that reflect the idea of a 'transparent' photography, able to leave the author's subjectivity and any pretension to creativity in the background.

Acre

Pino Musi

In May 2017, at the invitation of Marco Delogu, director of the Italian Cultural Institute of London, my work *Acre* was exhibited in the beautiful ground floor room of the Institute. In the hanging of the show we decided to avoid any embellishment, thus opting for a very minimal style of display. In the same spirit and mode of communication of Carl Andre's, the artworks, unframed, with only a thin protective glass, were bound to the wall by four well-positioned nails. This choice aimed at asking the beholder to relate to the very essence of the images, to the urgency of their contents.

In the summer of 1847, when Gustave Flaubert travelled to Brittany, the region had a very strong exotic feel. During his three-month long tour, the young writer explored the area without ever stepping inland, but rather keeping himself to the coast, in the company of his friend and photographer Maxime Du Camp, with whom, two years later, he would participate to a famous archeological expedition in the Orient, documented by Du Camp's own calotypes.

In April 2016 I started surveying various locations at Côtes-d'Armor, in the Breton hinterland (a land completely foreign to me), at the invitation of the Centre for the Arts and Research GwinZegal, involved in the promotion of fine art photography of this, mainly rural, area. Following

the inspection, I had a chance to be an artist in residence there and to freely pursue a project lasting a few months, which had a very specific goal in mind: creating a travelling exhibition and publishing a book.

Freed from the restrictions of a public commission, I adopted a more intuitive approach than the strictly documentary one, which was able to convey a more subjective reading of the space, like a projection of myself onto the landscape. I thought of this project as a passage in two directions: the physical one, that from the rural farms could extend itself to the peripheries of the small towns, by passing through the locations of the agribusiness factories; and the other one, conducted in the mind, that was constantly suggested by the history of landscape photography and the work of some authors who are representative of its important transitional phases, such as Walker Evans, Lewis Baltz, Robert Smithson. But Carl Andre and Ellsworth Kelly in particular have been constant points of reference for this work of mine.

Placing architecture at the core of my practice, the enquiry originally focused on the farm structures dotting the countryside, a land geared towards breeding livestock and dairy production. In French (but also in Italian), *acre* is the unit of measure of agricultural land, but *âcre* (acrid) is also the bitter taste that this portion of Breton hinterland has acquired in recent years, the one not depicted in the conventional touristic image of this region, but which characterises an area that is much less well-known and investigated, where underlying the apparent natural lush and beauty of the landscape there is a conflict due to the reckless employment of pesticides in the countryside and the strong presence of intensive breeding facilities.

The photographs convey the sense of a fragile and paradoxical countryside, whose ancestral and unchanged character clashes with increasingly fast-paced changes. The images have intentionally soft contrasts, rich with subtle transitions of greys, almost devoid of human presence and conveying the monotony and suspended atmosphere of those places, heightened by the absence of any chronological cues.

This attention to the spaces linked to a rural, precarious community, with no apparent qualities, somehow reveals a similarity between the shape of traditional agricultural farms and that of the soulless dwellings of the periurban area. In the developments in close proximity to the urban centres, that shape is devoid of the energy bestowed by its original constituent materials - the rock, the earth - and it stiffens to become an aseptic, dull shell.

The course of the exhibition *Acre* highlights the existing connection between the composite entities of the rural world; in the display at the Italian Cultural Institute in London, it enters into a dialogue with, and functions as a counterpoint to, other photographic journeys proposed by the curator Marco Delogu in this occasion, such as the series *Settlements* by David Spero, which I loved very much, all creating an extremely interesting interweaving of themed reflections and photographic writing.

It seems to me that the strength of the Italian Cultural Institute of London lies precisely in the creation of a constant dialogue on and around the exhibitions' themes, which become points of departure to spark the most varied analysis and reflections. This means that photography too does not close itself up in a self-referential compound, but through its contents and its shapes affirms itself in a vital debate with the other languages of art and literature, in a continuous exchange that maintains it in an open and proactive dimension.

Destruction / Reconstruction
Daniele Molajoli, Flavio Scollo

Following the two earthquakes that hit central Italy in 2016, we made two trips to Umbria, precisely in the Val Nerina, to document the wounded beauty of that territory and its cultural heritage. Marco Delogu, the main promoter of the project, invited us to exhibit the photographs at the Institute, using two black walls in which eight large monitors were set.

This technological stratagem proved to be surprisingly consistent with the work produced and effective in presenting it. The monitors thus composed the images in a mosaic that allowed to further underline the mutations the churches, the landscapes and the people encountered following the two seismic events.

On the other hand, London and the Institute were the second natural home of that work: the first earthquake occurred while the preparation of the fifteenth edition of FOTOGRAFIA - International Festival of Rome and Marco, which already played the role of Director of the Institute and of the Festival was the artistic director, he understood immediately that the edition of that year had to be involved. He found in il Circolo - Italian Cultural Association London an enthusiastic partner and we left for Norcia for the first investigation of the damage that the earthquake had caused to cultural heritage, returning to Rome just in time to hang the prints on the wall, while the festival was about to host its opening.

A few weeks after the second earthquake, with the first snows of November, we decided to return to the area and to re-shoot as much as possible the same places we had already portrayed. It was an experience that struck us deeply: the monastery of Norcia, the abbey of Sant'Eustizio, the churches of San Salvatore and Sant'Andrea, in Campi – places where we had probably been among the last to enter escorted by the firemen – they were reduced to piles of rubble and not much more.

In London, the material of both journeys finally met for the first time in a complete story and it was somewhat comforting to know that the photographs taken would be used to communicate a scholarship to allow researchers in the areas affected by the earthquake to spend a period of study in London, focusing their research on the art and cultural heritage of regions affected by natural disasters.

A few weeks after the inauguration, Marco sent us a picture of Josef Koudelka who was dining in the rooms where the photos were displayed, in front of the lit screens. Definitely an exceptional audience,

Modigliani at theTate Modern
Nancy Ireson
"With one eye you are looking at the outside world, while with the other you are looking within yourself."
A.C. Modigliani
"Young people have always craved excitement. At the age of twenty-one, when, as an inspiring artist, Amedeo Clemente Modigliani chose to leave his home in provincial Italy, there was only one place to go. The year was 1906 and the city was Paris. Travelling from across the country and from around the globe, as they had done for decades, people flocked to the French capital bringing with them different languages and new ideas.

They found and created new opportunities. Like so many artists, before and since, Modigliani's identity and his work were transformed by the experience of a fresh environment. In this respect, although focused on an individual, Tate's exhibition celebrates a kind of a journey that remains familiar today. Even before he arrived in France, thanks to his upbringing, Modigliani was no stranger to the migration of concepts or to the meeting of diverse cultures. He was born in 1884, in the Italian port city of Livorno, into a relatively cosmopolitan family of Sephardic Jews [...] His artistic training began in his teens and, on visits to Venice, Florence and Siena, he encountered the renaissance treasures of his homeland. When he did leave Italy, with a little financial support from his parents, he took with him a thorough understanding of his cultural heritage. [...] This exhibition instead chooses to examine Modigliani within the constraints and opportunities of his time, considering the impact of the people he knew, the society in which he worked and the ways in which he made art."[3]

The Exhibition Modigliani was held from November 2017 to April 2018 at the Tate Modern, with the support of the Italian Cultural Institute, which took the opportunity to honour one of the most iconic Italian artists of the 20th century. Frances Morris, director of the Tate Modern said that it was "a huge privilege being able of gathering a hundred of his works for this exhibition, that is the biggest retrospective on Modigliani ever held in the United Kingdom."[4]

Little Cello at
Belgrave Square
Mario Brunello

It's not that often that one has the opportunity to play only one meter away from artworks exhibited in one of the richest and most visited museums in the world, the National Gallery of London. Moreover, I could even pick the artworks I wished to play in front of. I chose three masterpieces and for three times they created, incredibly fast, ad hoc concert halls!

To be honest, music is played at the National Gallery fairly regularly; they want to continue to honour a tradition started during the WW2 bombings, when in an already emptied museum - the artworks had been removed and stored for safety - the pianist Myra Hess in 1939, and during the whole duration of the conflict, gave concerts in the central gallery.

What could I play in front of such masterpieces, with a solo cello? The directors of the Museum encouraged me not feel encumbered by themes, historical eras, or topics, but rather to try and freely interpret the artworks through music, my imaginary of sound.

[3] Excerption from *Modigliani & Modernity* by Nancy Ireson, Simonetta Fraquelli & Annette King in *Modigliani*, London, Tate Publishing, 2017.

[4] *Director's Foreword* di Frances Morris in *Modigliani*, London, Tate Publishing 2017.

I thought that with music I would have had fun finding a musical interpretation, but that then an art historian and friend such as Guido Beltramini could have shed light on my choices.

So I was walking around the rooms, with no precise aim, trying to be attracted by the *sounds* of the images, when the first painting appeared to me in all its *resonance*: the *Assumption of the Virgin* by Francesco Botticini, 1477. Is was a resonant vortex of voices, colours, sounds, a sort of spaceship taking off above a quiet, silent Florentine countryside, or mountain.

So the music was decided on immediately, the *Sixth Cello Suite* by Bach, the *Concerto Rotondo for Cello and Live Electronics* by Giovanni Sollima, and the 1600s *Ciaccona* by Giuseppe Colombi in a version of mine with a loop. In these musical scores, the *resonance*, intended in its multifarious meanings, manifests itself through various shapes and sounds.

With the satisfaction of having achieved a first objective so unexpectedly, I continued my walk around the rooms of the National Gallery, hopeful. Many artworks emanated sound signals, but I had to discard them due to the impossibility to perform them with the cello only. But here comes the *enigma* of the *Ambassadors* by Hans Holbein, a celebrity of the collection. More than by the two young and finely dressed ambassadors, or the famous skull which reveals itself only when looking at the painting from the left, I was captivated by the objects stored on a shelf in the background. At first sight, they are symbols telling a hidden story, and upon closer observation they reveal, through countless details, the real meaning of the work. They reveal a world that, in the early 1500s, was being torn between wars and religions. Particularly disquieting, is a crucifix half hidden by the curtain in a small corner on the left, nearly indiscernible.

Suddenly, music makes itself heard. For this programme, I must tap into the violin repertoire and I need another instrument, the cello piccolo. I chose the 1700s *Passacaglia* of the *Mystery Sonatas* by Heinrich Ignaz Franz von Biber, the last composition of a series meant to accompany the symbols of the *Via Crucis*, each one played with a different tuning of the instrument. Then the 1970 *Vier kurzen Studien* by Bernd Alois Zimmermann where there are represented the four elements and a new theory of writing time in music: the note values are given by the height distance between them. And finally, the *Partita in D Minor* by Bach and his famous *Ciaccona*. The *Ciaccona* actually conceals an epitaph, a dedication of the composer in occasion of the death of his first wife Maria Barbara. Quotations from chorales on the themes of life, death, and resurrection appear amongst the 30 variations of the *Ciaccona*, and so do also numerical references, translated into musical notes, to the dates of birth and death of Maria Barbara and to her name itself. It's a programme dealing with *enigmas* from the first to the last note.

At this point I would have wanted to continue my quest amongst the 1900s masterpieces, but my gaze rested upon a landscape all too familiar to me: a "joyful and lovable" ("*gioiosa et amorosa*") countryside, painted in 1507 by Cima da Conegliano. San Tommaso's disbelief nostalgically attracted me towards that Trevigiana countryside, but at a certain *distance*, keeping a suspended and silent atmosphere between myself and the depicted scene. As if all that was happening there was shielded from the outside world. Perhaps it was because of the metaphysical, gaunt grey wall of the small temple, or perhaps the silent expectation in the eyes of the Apostles. Even if this artwork sounded silent, far away, the music was decisive: the *Cello Suite n.5* by Bach with the *Sarabanda* suspended in an abyssal, infinite space. Then there would be the 1960 *Sonata n.1* by Mieczyslav Weinberg, a composer who followed his own personal language, a solitary road in the Soviet era. And finally, there would be John Cage with *4,33*, the composition that confronted the whole world with silence intended as music.

As I said, three unique and in a way unrepeatable concert halls inside a Museum that, during last autumn's concerts, kept on living, swarming with extremely respectful and silent visitors, even when approaching the room where the artwork was almost melting into unforeseen sounds.

I had the pleasure of telling about all of this across several events and venues at the National Gallery and in the beautiful room on the first floor of the Italian Cultural Institute on Belgrave Square in London, where I brought only the cello piccolo I used in the second of the three programmes at the National Gallery.

It was an occasion to introduce a very rare instrument, which used to be well known until the mid 1700s, but that was then quickly forgotten in a couple of decades. Chatting with the journalist Peter Quantrill, writing for the magazine Strade, and with the friends of the Institute, we were able to tell a story that brought us back to 1735 London, when the famous Italian cello piccolo *virtuoso* Andrea Caporale arrived in London and held highly successful concerts. It was also on account of this that he was called by Haendel to become part of his orchestra, to perform the cello piccolo solos that had been written specifically for him.

Andrea Caporale, whom Charles Burney described as possessing a «full, sweet and vocal tone», was involved, a few years later, in the famous musical duel with Jacopo Cervetto, another Italian cello *virtuoso* who lived in London, and which took place in the old Little Theatre at Haymarket.

Which is coincidentally located a stone's throw away from the National Gallery… and not so far from 39 Belgrave Square.